KB196275

세상을 바꾼 물리학

세상을 「바꾼」

물리학

초판 1쇄 발행 2017년 11월 20일
개정판 1쇄 발행 2021년 3월 3일
개정판 4쇄 발행 2025년 2월 10일

지은이 원정현
펴낸이 박찬영
편집 김솔지
디자인 박민정, 이재호
본문 삽화 박소정
마케팅 조병훈, 박민규, 이다인

발행처 (주)리베르스쿨
주소 서울특별시 성동구 왕십리로 58 서울숲포휴 11층
등록번호 2013-000016호
전화 02-790-0587, 0588
팩스 02-790-0589
홈페이지 www.liber.site
커뮤니티 blog.naver.com/liber_book(블로그)
www.facebook.com/liberschool(페이스북)
e-mail skyblue7410@hanmail.net

ISBN 978-89-6582-289-9 (04400)
978-89-6582-288-2 (세트)

리베르(Liber 전원의 신)는 자유와 지성을 상징합니다.

세상을 바꾼 물리학

〈세상을 바꾼 과학〉 시리즈를 펴내며
- 과학사와 과학 개념이 만나다

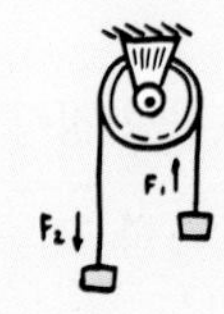

학교에서 학생들에게 과학을 가르치는 동안 늘 '어떻게 하면 과학적 개념들을 잘 이해시킬 수 있을까?', '어떻게 해야 학생들이 과학을 좋아하게 될까?'를 고민했습니다. 이 질문에 대한 답을 찾는 것은 제게 도전이었습니다. 매년 같은 내용들을 가르치면서도 논리와 재미, 둘을 모두 잡는 수업을 만들겠다는 욕심에 매번 치열하게 새로운 수업 방법을 고민했습니다.

그러다 어느 겨울, 영재 교육 담당 교사를 대상으로 한 연수에서 과학사라는 학문을 접했습니다. 과학사를 전공한 선생님이 진행한 갈릴레오에 대한 강의를 듣고, 저는 과학사라는 학문이 너무나 궁금해졌습니다. 예전에 석사 공부를 하는 동안 토머스 쿤의 《과학혁명의 구조》나 《코페르니쿠스 혁명》, 마틴 커드의 《과학철학》 등의 과학 고전들을 읽어 본 적은 있었습니다. 하지만 그때는 원서를 해석하는 데 급급해 특별한 매력을 느끼진 못하고 지나쳤습니다. 시간이 지나 새롭게 다시 접한 갈릴레오의 이야기는 저를 매료했습니다. 갈릴레오 강의를 들은 그날 바로 과학사·과학철학 협동과정에 입학 문의를 했고, 제 전공은 과학사로 바뀌었습니다. 30분, 1시간을 논문 몇 쪽, 책 몇 쪽으로 계산해 가며 공부하는 삶, 고달프지만 짜릿한 삶이 시작된 것이지요.

과학사라는 학문은 과학을 공부할 때와는 완전히 다른 사고의 틀을 요구합니다. 학교 과학 시간에는 과학사학자이자 과학철학자 토머스 쿤이 말한 정상과학, 즉 현대 사회의 보편적인 과학 이론을 가르칩니다. 따라서 과학 교육에서는 개념과 이론 이해를 중요하게 여깁니다. 학생들은 과학자들이 현재까지 정립한 가장 최근의 지식들을 배우고, 그 지식 체계 안에서 문제를 풀어 낼 것을 요구받지요.

하지만 과학사에서는 과학 개념 자체보다 연구자가 어떤 자료를 근거로 어떤 주장을 하는지를 파악하는 것을 더 중요하게 여깁니다. 또 과학에서는 정답이 정해져 있지만 과학사에서는 근거만 뒷받침된다면 다양한 해석 결과가 모두 수용됩니다. 결과물보다는 지식이 만들어지는 과정을 더 중요하게 여기는 과학사를 공부하자, 저의 비판적 사고 능력도 많이 자라났습니다.

저는 과학 교육과 과학사를 연결하는 방법을 고민하기 시작했습니다. 주위를 둘러보니 청소년이나 대중을 대상으로 한 과학사 책들이 여러 권 출판되어 있었고, 그중에는 상당한 인기를 끈 책들도 있었습니다. 기존에 출판된 과학사 책은 크게 두 종류로 나누어 볼 수 있습니다. 하나는 과학사를 연대기 순으로 서술하는 방식입니다. 사건이 일어난 순서대로 역사를 서술하는 책들이지요. 또 하나는 과학자들을 중심으로 역사를 서술해 나가는 책들입니다. 이러한 책들은 보통 위인전의 형태를 취하거나 여러 과학자들의 생애와 업적을 간략하게 소개합니다.

과학 지식의 성립 배경에 관심을 가지는 요즘의 흐름을 반영하듯 최신 과학 교과서는 과학사에도 꽤 많은 지면을 할애합니다. 하지만 과학 교과서에 실리는 역사는 일화 중심의 단편적 서술에서 그치는 경우가 많습니다. 또 과학사를 역사 자체로 접근하지 않고 과학적 개념을 학습하기 위한 도구로 이용합니다.

저는 출간되어 있는 과학사 책들을 보고 새로운 책의 필요성을 느꼈습니다. 과학사가 도구로써 이용되는 기존 도서의 한계를 넘고, 과학사와 과학적 개념이 서로를 보충하며 유기적으로 연결되는 책이 있었으면 좋겠다고 생각했습니다. 그리고 독자들이 과학사를 통해 좀 더 재미있고 쉽게 과학적 개념들에 접근하기를 바랐습니다.

고민 결과 만들어진 책이 바로 〈세상을 바꾼 과학〉 시리즈입니다. 이 책의 서술 방식은 기존의 과학사 책들과는 상당히 다릅니다. 〈세상을 바꾼 과학〉은 중요한 과학적 개념들이 어떠한 변화 과정을 거치면서 확립되어 왔는지를 서술의 중심으로 삼고 있습니다. 과학의 각 분야들을 딱 잘라 구분하기는 힘든 일이지만, 과학 분야를 나누는 큰 틀인 물리, 화학, 생물, 지구과학에 맞추어 작성했습니다. 각 분야의 중요한 개념을 선정해, 각 장에서 그 개념이 정립되어 나가는 과정을 서술했습니다. 저는 이런 서술 방식이 과학사와 과학을 통합적으로 연결할 수 있는 가장 좋은 방식이라고 믿습니다.

저는 독자들이 이 책을 읽으면서 '아하, 이런 과정을 거쳐 이런 개념들이 만들어졌구나.'라는 생각을 하기를 바랍니다. 과학 개념이 만들어지는 과정을 따라가다 보면 과학 이론을 익힐 수 있고, 나아가 과학이라는 학문 자체를 더 깊이 이해하는 시선을 갖추게 될 것입니다. 역사를 알면 현대 사회를 더 잘 이해할 수 있는 것처럼, 과학의 역사를 알면 현재의 과학 지식을 풍부하게 이해할 수 있습니다.

학생들을 가르치는 사람으로서, 그리고 동시에 과학사 연구에 발 담그고 있는 사람으로서 이 책이 추구하는 방향이 옳다고 믿습니다. 이 책을 쓰기 위해 많은 자료를 조사하고 공부했습니다. 하지만 내용에 오류가 있을 수도 있다는 두려움을 완전히 떨칠 수 없습니다. 혹시 있을지도 모르는 오류에 대한 책임은 전적으로 이 책을 쓴 저에게 있을 것입니다. 잘못된 부분이 있다면 앞으로 고쳐 나가도록 하겠습니다.

마지막으로 이 책이 출판될 수 있도록 도와준 많은 분들에게 감사드립니다. 먼저 책의 출판을 허락해 주신 (주)리베르스쿨 출판사 박찬영 사장님께 감사드립니다. 또 원고를 꼼꼼하게 교정하고 예쁘게 편집해 주신 김솔지 편집자께도 깊은 감사를 드립니다. 지구과학 부문의 자료 수집을 도와준 연구실 후배 하늘이에게도 감사의 마음을 전합니다.

모든 사람이 똑같은 속도로 삶을 살 필요가 없다고 주장하면서 꽤 늦게 새로운 공부를 시작한 저에게 언제나 지지와 격려를 보내준 가족 모두에게도 감사합니다. 특히 저의 마음속 허기를 채워 주고 언제나 넘치는 풍요로움을 가슴에 안겨주는 세 남자, 제 아버지 원영상 님, 남편 한양균, 그리고 아들 한영우에게 사랑과 감사의 마음을 담아 이 책을 바칩니다.

2017년 10월 26일

원정현 씀

과학의 역사를 공부하기 전에

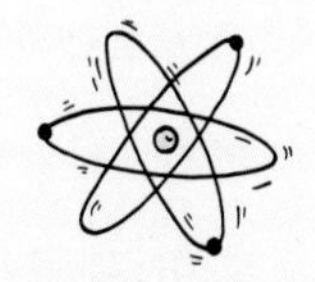

과학적 사건들의 의미를 찾다

과학사란 글자 그대로 과학의 역사를 말한다. 과학이 어떤 과정을 거쳐서 형성되고 변화해 왔는지를 이해하려 하는 학문이다. 과학사를 연구하는 학자들을 가리켜 과학사학자라고 한다.

학교 과학 시간에는 보통 과학의 개념이나 이론, 법칙 등을 배운다. 하지만 과학사의 연구 목표는 과학과 조금 다르다. 과학사는 과학 이론이 어떤 과정을 거쳐 형성되어 변화해 왔나를 알아내 과학이라는 학문을 더 잘 이해하고자 한다. 또한 과학사는 과학 내적인 변화 과정만이 아니라 과학과 사회가 맺는 관계에도 많은 관심을 가진다. 과학자가 살던 시대적 배경과 과학에 영향을 주던 사회, 경제, 종교, 철학도 과학사의 중요한 연구 대상이다.

흔히들 현재를 이해하고 미래를 예측하기 위해서는 먼저 과거를 알아야 한다고 말한다. 우리는 과거를 분석해서 현재를 이해하기 위해 고조선에서 현대에 이르기까지의 역사를 공부한다. 과학사도 마찬가지다. 우리는 현재의 과학 이론을 제대로 이해하기 위해 과학사를 알아야 한다.

과학사에는 정답이 없다. 과학사는 다양한 사료를 이용해 여러 과학적 사건들의 역사적 의미를 찾는 학문이고, 역사 해석에는 다양한 관점이 있기 때문이다. 과학사 연구를 하다 보면 관점에 따라 역사적 사건의 중요도나 사건에 대한 해석이 달라지기도 한다. 현재 많이 채택되는 과학사 연구의 관점으로는 4가지가 있다.

첫 번째는 합리적 방법론을 중심으로 과학사를 연구하는 관점이다. 실제로 증명한다고 해 실증주의적 관점이라고도 한다. 이런 관점을 가진 과학사학자들은 과학적 지식이 실험 같은 합리적 방법과 논리적인 추론을 통해 만들어지기 때문에 다른 분야에 비해 훨씬 더 보편적이고 객관적이라고 생각한다. 그래서 과학의 역사를 돌아볼 때 과학자들이 실험과 관찰을 바탕으로 과학적 지식을 만들어 내고 변화·발달시켜 온 과정을 중요하게 여긴다.

두 번째는 자연을 보는 시각 변화를 중시하는 관점으로, 사상사적 관점이라고도 한다. 이 관점을 중요시하는 과학사학자들은 과학이 실험이나 관찰로만 변화해 왔다고 보지 않는다. 이들은 자연을 바라보는 방식의 변화가 실험과 관찰보다 더 중요하다고 생각한다. 수학과 과학의 관계를 예로 들 수 있다. 오늘날에는 수학이 없는 과학은 상상할 수 없지만, 16세기 이전까지만 해도 과학과 수학은 별개의 학문으로 여겨졌다. 하지만 17세기에 들어서 자연 현상을 수학으로 나타낼 수 있다는 자연관을 가진 과학자들이 등장했다. 그 결과 점차 과학과 수학이 결합하는 변화가 나타났다.

세 번째는 사회적 배경을 중시하는 관점이다. 이 관점에서는 어떤 사회적 배경 속에서 과학자들의 방법이나 시각이 변화했는지를 중요하게 여긴다. 이들은 과학이 놓여 있었던 사회적 맥락이나 과학과 사회의 관계,

과학 연구에 대한 후원 체계 등에 깊은 관심을 가진다.

마지막 관점은 사회적 유용성이라는 면에서 과학사를 바라보는 관점이다. 이 관점은 주로 사회주의 국가에서 많이 대두되었다. 이 관점을 지닌 과학자들은 인간의 삶을 위해 유용하게 쓰일 때 과학이 더욱 발달할 것이라고 본다.

이처럼 과학사를 연구하는 데는 여러 가지 관점이 있을 수 있다. 이들 중 어떤 관점이 옳고 그르다고 논할 수는 없다. 과학사를 깊이 있게 이해하기 위해서는 모든 관점들을 고루 갖추어야 한다. 오늘날 과학사를 보다 통합적으로 이해하게 된 것도 다양한 관점을 가진 여러 과학사학자의 노력 덕분이다.

과학은 언제부터 시작되었을까?

과학사를 연구하기 위해서는 과학의 시작점을 정해야 한다. 과학의 시작점을 정하려면 먼저 과학이 무엇인지에 대한 정의를 내려야 한다. 인간의 힘으로 자연을 이용하고 통제하려는 모든 시도들을 과학이라고 본다면 과학의 시작은 아주 오래전으로 거슬러 올라간다. 고대 메소포타미아와 이집트 등지에서는 문명이 생겨난 기원전 3500년경부터 수학, 천문, 의학, 측량의 분야에서 많은 발전을 이루었으니, 이때를 과학의 시작이라고 볼 수도 있다.

하지만 대다수의 과학사학자는 과학에 대해 이와는 다른 정의를 내리고 싶어 한다. '자연에 대한 합리적 지식 체계'라는 좁은 정의이다. 이렇게 정의하면 고대 메소포타미아나 이집트 문명보다는 이후 고대 그리스에서 이루어졌던 사유들이 과학에 더 가까워진다. 고대 그리스에서는 만물의 근원 물질이나 물질 변화의 원인, 우주의 구조 또는 질병의 원인 등에 대해 질문을 던졌기 때문이다. 이 질문들은 오늘날의 과학자들이 여전히 던지고 있는 질문이다.

그래서 과학사를 공부할 때는 보통 고대 그리스부터 시작한다. 중세에는 이슬람 지역이 과학적 발견에 중요한 역할을 했다. 이후로 르네상스를 지나며 근대 과학 이론들이 싹을 틔우기 시작했다. 16~17세기에는 과학 혁명을 거치며 과학의 모습이 크게 바뀌고 근대적인 과학이 등장했다. 과학 혁명 시기에는 우리에게 널리 알려진 코페르니쿠스, 갈릴레오, 케플러, 데카르트, 하위헌스, 하비, 보일, 뉴턴 등의 많은 과학자들이 활동을 했다. 이 시기에 천문학, 역학, 생물학 분야에서 근대적인 과학 개념이 등장했다면, 18세기 들어서는 화학 분야에서 큰 발전을 이루었다. 19세기 말에 이르면 물리학 분야가 오늘날과 같은 모습으로 만들어졌다. 이처럼 과학은 고대부터 현대에 이르기까지 시대에 따라 그 모습이 변화해 왔다.

과학사를 바라볼 때 명심할 것들

과거의 과학을 공부할 때 주의해야 할 점이 몇 가지 있다.

첫째는 현대 과학의 관점을 가지고 접근하면 안 된다는 점이다. 과거의 과학을 그 자체로 받아들이고 그 시대의 맥락 속에서 의미를 이해해야 한다. 예를 들어 아리스토텔레스의 학문에는 오늘날의 관점에서는 전혀 말이 되지 않는 잘못된 내용들이 많다. 이에 대해 과학사학자 데이비드 린드버그는 다음처럼 말했다.

> 철학 체계를 평가할 때는 그 체계가 근현대의 사고를 얼마나 예비했느냐가 아니라, 동시대의 철학적 난제들을 얼마나 성공적으로 해결했느냐를 척도로 해야 한다. 아리스토텔레스와 근현대를 비교할 것이 아니라, 아리스토텔레스와 그의 선배를 비교하는 것이 마땅하다. 이런 기준에서 평가하자면 아리스토텔레스의 철학은 실로 전대미문의 성공을 거둔 것이었다.
>
> –데이비드 C. 린드버그, 《서양과학의 기원들》, 21쪽

과거의 과학자들의 이론이 틀렸다고 볼 것이 아니라 그 당시의 맥락 안에서 보아야 한다는 말이다. 그러면 결과물이 아닌 역사적 변천물로서의 과학을 더 잘 이해할 수 있게 될 것이다.

둘째는 용어를 사용할 때 주의를 기울여야 한다는 것이다. 과학이나 과학자라는 말이 등장한 것은 18세기 말 이후의 일이다. 그 이전까지는 과학은 자연철학으로 불렸고, 과학자는 자연철학자라고 불렸다. 17세기 아이작 뉴턴의 저서 제목이 《자연철학의 수학적 원리》라는 것에서 이를 확인할 수 있다. 자연철학은 19세기에 들어서면서 서서히 자연과학이라는 말로 바뀐다. 그러면서 과학자라는 용어도 사용되기 시작했다. 그래서 이 책에서도 19세기 이전의 과학에 대해서는 자연철학이라는 용어를 많이 사용했다. 한편 과학사를 논할 때는 용어뿐만 아니라 과학자들의 호칭에도 주의해야 한다. 요즘에는 갈릴레오 갈릴레이를 자주 갈릴레이라고 호명

하지만 그가 살던 당시 이탈리아에서는 갈릴레오라고 부르는 게 보편적이었다. 대다수의 과학사학자들은 이를 근거로 갈릴레오라는 호칭이 더 적절하다고 생각한다.

마지막으로 시야를 더 넓혀야 한다. 과학사는 보통 유럽을 중심으로 서술되지만, 오늘날 우리가 과학이라고 부르는 학문이 유럽에서만 등장했던 것은 아니다. 중국이나 인도 등에서도 옛날부터 과학이 발달했고, 중세 이슬람에서도 과학 연구가 활발하게 이루어졌다. 유럽의 과학이 가장 보편적인 것처럼 다루어지기는 하지만, 넓은 시야를 갖추고 유럽 이외의 지역에서 이루어진 의미 있는 과학 활동에도 관심을 가져야 한다.

과학사는 과거로부터 현재에 이르기까지 과학이 변화해 나가는 모습들을 알아보고 그것이 가진 의미들을 여러 관점에서 해석해 나가는 학문이다. 오늘날 우리가 배우는 과학의 중요한 개념이나 법칙들이 어떠한 과정을 통해 형성되었는지를 살펴보고 과학을 더 잘 이해하게 되기를 바란다.

차례

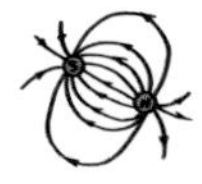

저자의 말 … 4

들어가는 글 … 8

Chapter 1 물체는 왜 아래로 떨어질까? | 자유 낙하 법칙의 발견

- 물건들이 자기 자리를 찾아간다고? … 19
- 중세, 근대역학의 씨앗을 품다 … 26
- 갈릴레오, 운동 연구에 수학을 이용하다 … 32
- 갈릴레오가 근대역학을 시작하다 … 41

Chapter 2 갈릴레오, 새로운 우주관을 찾아 나서다 | 관성과 근대역학의 시작

- 지구가 태양을 돌기 위해 새로운 역학이 필요해지다 … 47
- 땅은 움직이고, 우리도 함께 움직인다 … 54
- 운동과 정지 상태는 관찰자에 따라 결정된다 … 59
- 갈릴레오, 근대역학을 시작한 사람 … 62

Chapter 3 뉴턴, 달과 사과를 잡아당기는 힘을 밝히다 | 중력과 과학 혁명의 완성

- 뉴턴, 다양한 학문을 연구하며 세상의 진리를 탐구하다 … 69
- 과학사 사상 최고의 걸작《프린키피아》의 탄생 … 73
- 운동을 정의하고 증명하다 … 76
- 중력, 모든 운동을 설명하는 힘 … 80
- 뉴턴이 근대역학을 확립해 온 세상을 밝히다 … 84

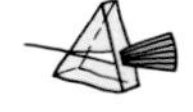

Chapter 4 **무지개를 만드는 빛의 정체를 찾아라!** | 빛의 성질과 광학

- 보이지 않는 입자로 가득 찬 데카르트의 세계 … 93
- 뉴턴, 프리즘으로 빛을 실험하다 … 97
- 빛은 입자일까, 파동일까? 과학자들의 편이 갈리다 … 102
- 빛에 대한 논란, 최후의 승자는? … 112

Chapter 5 **자석과 번개가 같은 현상이라고?** | 전자기 유도 법칙과 전자기학

- 나침반은 왜 늘 북쪽을 가리킬까? … 119
- 전기에도 종류가 있다? 없다! … 126
- 전기를 저장하고 수학으로 표현하다 … 130
- 개구리 뒷다리가 가져온 전기 연구의 새로운 길 … 133
- 전선 옆에 있는 나침반은 왜 움직일까? … 137
- 모든 전기와 자기 이론이 하나로 통합되다 … 146
- 맥스웰의 전자기 이론, 19세기 과학을 바꾸다 … 152

Chapter 6 **증기가 기계를 움직일 수 있다니!** | 에너지 보존 법칙과 열역학

- 열을 측정할 도구를 만들다 … 159
- 열을 지닌 신비한 물질, 칼로릭 … 161
- 카르노, 증기 기관의 원리를 연구하다 … 164
- 세 과학자가 동시에 에너지 보존 법칙을 만들다 … 168
- 계속해서 증가하는 우주의 혼돈, 엔트로피 개념이 탄생하다 … 176
- 에너지 개념, 물리학을 형성하다 … 180

Chapter 7 상자 속의 고양이는 살았을까, 죽었을까? | 코펜하겐 해석과 양자역학

- 에너지가 작은 덩어리라고? … 187
- 모든 물질은 파동의 성질을 지녔다 … 192
- 양자역학, 학문적 기초를 다지다 … 197
- 솔베이 회의에서 양자역학의 표준 해석이 탄생하다 … 200
- 양자역학으로 순간 이동을 꿈꾸다 … 207

Chapter 8 시간과 공간의 비밀을 밝혀라! | 상대성 이론

- 기차역의 시간 계산이 상대성 이론을 탄생시키다 … 215
- 빠르게 움직일수록 시간은 느려진다 … 221
- 공간이 휘어서 중력이 생긴다고? … 228
- 중력파 관찰로 상대성 이론을 증명하다 … 234

참고 자료 … 238

사진 출처 … 240

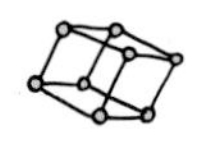

Chapter 1

물체는 왜 아래로 떨어질까?

자유 낙하 법칙의 발견

자연이 하는 일에는 쓸데없는 것이 없다.

– 아리스토텔레스 –

역학이란 물리학의 한 분야로, 물체의 힘과 운동을 연구하는 학문이다. 역학은 발달한 시기에 따라 크게 뉴턴이 정립한 근대역학과 20세기 이후에 등장한 양자역학으로 구분할 수 있다. 고전역학이라고도 불리는 근대역학은 원자보다 큰 물체의 운동을 다루고, 양자역학은 원자보다 작은 물질들의 운동을 연구한다. 그 밖에도 움직이는 물체의 시간과 공간을 연구하는 상대성 이론, 열과 에너지의 관계를 설명하는 열역학도 역학의 한 분야이다.

지금부터 우리는 근대 이전의 역학이 어떤 모습이었는지 살펴볼 예정이다. 근대와 근대 이전의 역학을 구분하는 것은 근대를 기준으로 물체의 운동을 설명하는 방식이 달라졌기 때문이다. 근대 이전의 역학은 고대 그리스의 자연철학자인 아리스토텔레스(Aristoteles, 기원전 384~기원전 322)가 대표한다. 이후 아리스토텔레스의 이론은 중세 학자들의 이론적 기반이 되었다. 중세에 펼쳐진 논의 속에는 이후에 등장할 근대역학의 개념들이 많이 포함되어 있었다. 과학 혁명이 시작된 16세기 말부터 아리스토텔레스와는 다른 방식으로 물체의 운동을 설명하는 과학자들이 등장하기 시작했다. 갈릴레오, 데카르트, 하위헌스, 뉴턴이 바로 그들이다.

물건들이 자기 자리를 찾아간다고?

하늘로 돌을 던지면 올라갈 때는 속도가 점점 느려지다가, 가장 높은 곳에 이르면 순간적으로 정지하고, 다시 속도가 점점 빨라지면서 땅으로 떨어진다. 17세기 이전까지 자연철학자들은 이런 물체의 낙하 현상을 합리적으로 설명하려고 시도했다.

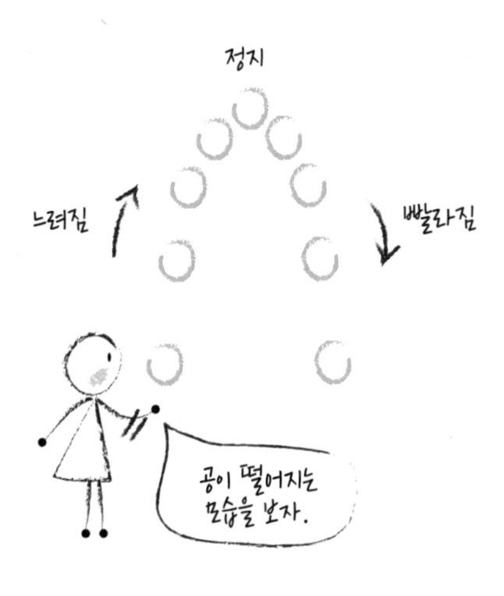

낙하 운동에 관한 이론을 정립한 최초의 자연철학자는 아리스토텔레스였다. 아리스토텔레스는 고대 그리스의 철학자로, 플라톤의 제자이자 알렉산더 대왕의 스승이었다. 그는 그리스 북부의 마케도니아 왕국에 속한 도시 스타기라에서 태어났다. 아리스토텔레스는 17살이 되던 해에 당시 학문의 중심이었던 아테네로 갔다. 아리스토텔레스는 이후로 20여 년 동안 그의 스승 플라톤이 설립한 학교, 아카데메이아에서 공부에 매진했다. 그는 매우 재능 있고 노력하는 학생이어서 플라톤이 "우둔한 학생들에게는 채찍이 필요하지만 아리스토텔레스에게는 (너무 앞서가지 않도록) 재갈

아리스토텔레스 고대 그리스의 철학자로 자연의 원리도 탐구했다. 그의 이론은 이후 오랜 기간 정설로 받아들여졌다.

이 필요하다."라고 말했을 정도였다. 플라톤이 죽은 후, 아리스토텔레스는 소아시아(오늘날의 터키) 등지를 여행하고 해양생물학도 연구했다. 그는 알렉산더 대왕의 왕자 시절 스승이었지만 알렉산더가 왕이 되면서 아테네로 돌아왔다. 그리고 리케이온이라는 학교를 세워 많은 제자들을 길러 냈다.

아리스토텔레스는 플라톤의 제자였지만 플라톤과는 생각이 많이 달랐다. 플라톤은 세계를 우리가 사는 현실 세계와 이데아의 세계로 구분했고, 이데아의 세계만이 이상적인 세계이자 진리의 세계라고 생각했다. 플라톤의 말에 따르면 현실 세계는 이데아 세계의 모방에 불과하기 때문에 현실 세계에 대한 경험을 쌓아서는 진리를 깨달을 수 없다. 이와 달리 아리스토텔레스는 현실 세계를 관찰하고 경험을 쌓으면 이데아의 세계에 도달할 수 있다고 믿었다. 즉 경험을 많이 쌓다 보면 자연의 질서를 알아낼 수 있다고 믿은 셈이다.

아리스토텔레스의 자연철학이 오랫동안 사람들에게 받아들여졌던 이

〈아테네 학당〉 16세기 초에 라파엘로 산치오 다 우르비노가 그린 프레스코화이다. 54명의 철학자, 수학자들이 그려져 있는데, 중앙에 있는 두 사람이 플라톤과 아리스토텔레스이다. 아리스토텔레스는 스승인 플라톤과 달리 현실 세계를 중시했다.

유도 그의 이론이 경험을 바탕으로 했기 때문이었다. 물론 아리스토텔레스가 경험을 중요하게 생각했다고 해서 오늘날의 과학자들처럼 실험을 많이 했던 것은 아니다. 아리스토텔레스에게 경험은 관찰이었다.

운동에 대한 아리스토텔레스의 이론은 크게 2가지 원칙에 바탕을 두고 있다. 운동에는 원인이 있어야 하고, 운동을 유형별로 나눌 수 있다는 것이다.

아리스토텔레스의 운동 이론 원칙

운동 - 원인 필요

운동의 유형 ┬ 천상계의 운동 — 자연스러운 운동(등속 원운동)
　　　　　　└ 지상계의 운동 ┬ 자연스러운 운동(상하 운동)
　　　　　　　　　　　　　　└ 강제된 운동

아리스토텔레스는 우주를 지상계와 천상계 두 세계로 구분했고, 지상계에서의 물체의 움직임을 '자연스러운 운동'과 '강제된 운동'으로 다시 나누었다. '자연스러운 운동'은 물체가 본래 자신이 속한 장소로 향하는 운동이고, '강제된 운동'은 그 외의 다른 장소로 움직이는 것이다.

높은 곳에서 돌을 떨어뜨리면 땅을 향해 일직선으로 떨어진다. 즉, 무거운 물체는 자유 낙하 운동을 한다. 아리스토텔레스는 무거운 물체들이 직선으로 낙하하는 이유는 지구의 중심이 무거운 물체들의 자연적인 장소이기 때문이라고 믿었다.

반면 가벼운 물체들의 자연적인 장소는 달이 붙어 있는 천구이다. 땅에서 하늘을 관찰하면 하늘이 땅을 구 모양으로 감싼 것처럼 보인다. 이 하늘의 구를 천구라고 한다. 아리스토텔레스의 우주는 지구를 중심으로 달, 행성, 항성의 천구들이 차례대로 지구를 겹겹이 둘러싼 동심원 구조를 하고 있다. 아리스토텔레스는 가벼운 물체들은 위로 계속 올라가 달의 천구에 이르렀을 때 운동을 멈춘다고 생각했다.

아리스토텔레스의 역학 체계 중 지상계에서의 자연스러운 운동이 상하 운동이라면, 천상계에서의 자연스러운 운동은 원운동이다. 천상계의 운동과 지상계의 운동이 서로 다른 원리의 지배를 받는다고 믿은 아리스토텔레스의 운동 이론은 17세기 말까지 깨지지 않고 받아들여졌다.

아리스토텔레스의 운동 이론은 그의 물질관과 밀접하게 관련되어 있다. 아리스토텔레스는 지상계의 모든 물질이 흙, 공기, 물, 불로 이루어져 있다고 보는 4원소설을 받아들였다. 흙은 언제나 땅을 향해 떨어지기 때문에 그는 흙이 가장 무겁다고 생각했다. 반면에 불은 언제나 위로 올라가는 것처럼 보였기에 절대적으로 가벼운 원소로 여겼다. 물과 공기는 상대적으로 무겁거나 가볍다고 믿었다. 물이 흙과 함께 있으면 흙보다 가벼워서 위로 떠오를 것이고, 공기와 함께 있으면 무거워서 아래로 떨어질 것이다. 이처럼 아리스토텔레스는 무게는 물체의 내재한 속성이며, 물체를 위로 올라가게 하거나 떨어지게 한다고 믿었다.

아리스토텔레스는 물체가 낙하나 상승 운동을 할 때 생기는 속도를 어떻게 설명했을까? 아리스토텔레스는 자연스러운 운동에서 물체의 속도는 물체의 무게에 비례한다고 생각했다. 그의 생각대로라면 무거운 물체일수록 빨리 떨어지고 가벼운 물체일수록 천천히 떨어진다. 또한 물체가 통과하는 물질인 매질의 밀도 역시 속도에 영향을 미친다고 믿었는데, 그 밀도가 클수록 물체의 속도가 느려진다고 생각했다.

아리스토텔레스의 논리대로라면 매질이 없을 때 물체의 속도는 무한정으로 빨라진다. 매질이 없는 진공 속에서는 물체의 속도가 점점 빨라지는데 그것을 늦출 요인이 없기 때문이다. 무한대의 속도를 인정할 수 없었던 아리스토텔레스는 이런 이유로 진공의 존재를 부정했다. 그의 세계는 빈 곳이 없이 물질로 가득 차 있는 세계였다.

아리스토텔레스는 자연스러운 운동뿐만 아니라 강제된 운동의 원인도 설명했다. 강제된 운동에는 화살을 쏘거나 돌을 앞으로 던지는 것 등이 있다. 아리스토텔레스는 자연스러운 운동이 아닌 모든 운동에는 물체를 움직이게 하는 원동력, 즉 동인이 있어야 한다고 생각했다. 그의 생각에 따르면 강제된 운동에서 물체의 속도는 동인이 크고, 매질의 저항이 작을수록 빨라진다. 만약 강제된 운동을 하는 물체의 속도를 2배로 늘리려면 저항을 반으로 줄이거나, 힘을 2배로 늘리면 된다.

그렇다면 강제된 운동을 하는 물체는 최초 동인과의 접촉을 잃고 나면 더 이상 동인을 공급받을 수 없는데 어떻게 운동을 계속할 수 있을까? 아리스토텔레스는 이 질문에 공기가 지속적으로 동인이 되어 준다고 답했다. 그에 의하면 사람이 화살을 쏠 때, 처음에 화살을 쏜 동인이 화살에게만 작용하는 것이 아니라 주변의 공기도 함께 움직인다. 맨 처음 활성화된 공기는 화살을 미는 것과 동시에 주변 공기를 활성화한다. 그러면 이 활성화된 공기는 화살을 밀어 주고 다시 그다음 공기를 움직인다. 이러한 과정이 반복되면서 화살이 앞으로 나아간다.

하지만 아리스토텔레스의 설명은 그 자체로 상당히 모순적이었다. 공기가 동인인 동시에 저항 역할을 하기 때문이다. 동인이 공기를 계속 활성화해 운동이 진행되지만 공기의 저항 때문에 동인은 점차 감소한다. 결국 남은 동인으로 다음 공기를 활성화할 수 없게 되면 화살은 강제된 운동을 멈추고 자연스러운 운동을 하면서 아래로 떨어진다. 이 이론에 따르면 물체는 아래 그림처럼 움직여야 한다. 하지만 이 그림은 실제 운동 모습과는 다르다. 실제 물체는 포물선을 그리며 떨어지기 때문이다.

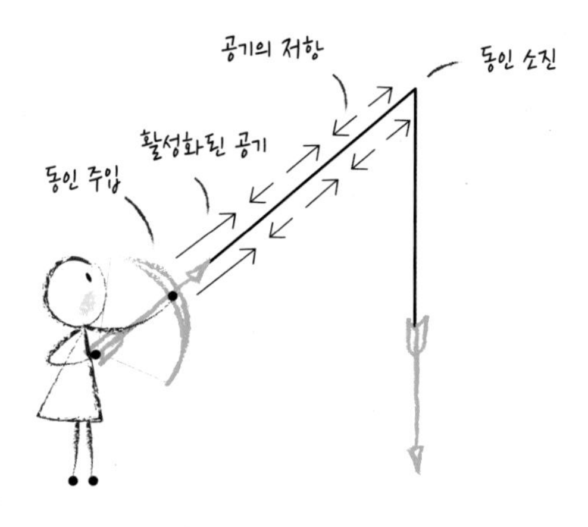

아리스토텔레스가 생각한 운동이라는 개념 자체도 근대역학의 운동 개념과는 성격이 상당히 달랐다. 근대역학에서 운동은 시간에 따른 물체의 위치 변화를 의미한다. 즉, 근대역학에서 물체의 운동 여부는 어떤 기준점에 대해 물체의 상대적인 위치가 변했는지를 측정함으로써 결정된다. 하지만 아리스토텔레스는 상태 변화도 운동에 포함했다. 찬 물체가 뜨거워지는 것, 씨앗이 자라 나무가 되는 것, 아이가 자라 어른이 되는 것도 모두 운동으로 보았다. 아리스토텔레스에게 운동이란 사물이 원래 가지고 있었던 변화의 가능성이 현실로 나타나는 것이었다.

우주를 천상계와 지상계로 나누고 자연스러운 운동과 강제된 운동을 구분했던 아리스토텔레스의 이론은 근대역학과 상당히 다르다. 17세기 이후에 성립된 근대역학에서는 자연스러운 운동과 강제된 운동을 나누지 않고 모두 동일한 개념과 운동 법칙에 따라 설명한다. 또, 아리스토텔레스에게 물체의 운동 상태는 물체의 속성인 무게로 결정되는 것이었다. 이는 물체의 낙하 운동을 중력과 같은 외부적 요인으로 이해하는 오늘날과는 상당히 다른 설명 방식이었다.

중세, 근대역학의 씨앗을 품다

유럽 역사에서 중세는 보통 5세기부터 15세기경까지를 가리킨다. 많은 사람들이 중세는 과학의 암흑기였다고 생각하지만, 이때도 자연철학자들 사이에서는 자유 낙하와 강제된 운동에 관한 중요한 논의들이 오갔다. 중세 학자들은 아리스토텔레스의 운동 개념이 지닌 문제점을 보완하기 위해 여러 가지 대안적인 답을 내놓았고, 이는 근대역학의 거름이 되었다.

중세의 운동 이론은 기본적으로 아리스토텔레스의 운동 개념을 따랐다. 중세 학자들도 상태나 성질의 변화를 운동으로 생각했다. 중세에는 온도 변화나 색깔 변화, 심지어 남을 불쌍히 여기고 도우려는 마음이 커지거나 신성함이 증가하는 것도 운동으로 여겼다.

중세 말인 14세기에 접어들자 자연철학자들은 운동을 기술하는 방식에 본격적으로 관심을 두기 시작했다. 중세 역학에서 해결하고 싶어 했던 과

14세기 볼로냐 대학교 풍경 중세 대학교의 교양 학부에서는 아리스토텔레스의 자연철학을 가르쳤다. 아리스토텔레스의 논리가 신학과 충돌하기도 했지만 그 덕에 토론과 논쟁이 활발해졌다.

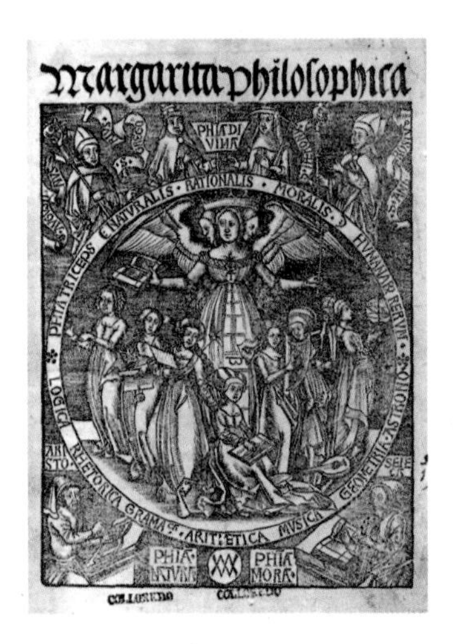

《마르가리타 필로소피카》의 삽화 15세기~16세기에 출간된 백과사전으로, 이 그림에는 당시 대학교에서 가르치던 학문들이 나타나 있다. 논리학, 기하학, 천문학 등의 과목에서 아리스토텔레스의 이론을 다루었다.

제는 크게 2가지였다. 하나는 자유 낙하 하는 물체에 작용하는 힘과 저항, 속도가 어떤 관계를 맺고 있는지를 알아내는 것이었다. 다른 하나는 강제된 운동의 원인을 아리스토텔레스와 다른 방식으로 설명하는 것이었다.

아리스토텔레스의 이론에 따르면 무거운 물체는 같은 거리를 가벼운 물체보다 더 짧은 시간 안에 움직인다. 또, 물체는 물속에서보다 공기 속에서 더 빨리 떨어진다. 이 둘을 종합하면 '물체의 속도는 힘에 비례하고 저항에 반비례한다.'가 된다. 하지만 이러한 논리에는 문제가 있었다. 이 논리에 의하면 힘이 저항보다 작은 경우에도 물체가 운동을 하게 되고 속도를 지니게 된다는 문제였다.

중세 학자들은 이 문제를 해결하기 위해 '속도는 힘에서 저항을 뺀 값에 비례한다.'라고 이론을 수정했다. 하지만 이 식에 의하면 힘이 저항보다 작아질 경우 속도가 마이너스가 되는 문제가 생긴다.

중세 학자들은 고민을 거듭한 끝에 결국 속도는 힘을 저항으로 나눈 값의 거듭제곱 지수에 달려 있다고 결론 내렸다. 즉 '힘/저항'을 제곱하면 속도가 2배가 되고, 속도를 반으로 줄이려면 '힘/저항'을 $(힘/저항)^{1/2}$으로 바꾸면 된다는 것이었다. 중세에는 이렇게 수식을 계속 고쳐 가며 아리스토텔레스의 이론이 가진 문제를 해결하고자 했다.

속도에 대한 중세 이론 변화

$\left(\frac{힘}{저항}\right)$에 비례 운동이 멈추지 않음 → (힘-저항)에 비례 속도가 마이너스가 됨 → $\left(\frac{힘}{저항}\right)^n$ 에서 n에 비례

중세에는 진공에서의 자유 낙하 가능성에 대해서도 활발한 논의가 오갔다. 중세 학자들은 진공 속에서 물체가 어떻게 움직이는지 설명하기 위해 '내적 저항'이라는 개념을 도입했다. 이 개념은 아리스토텔레스의 물질관에서 비롯했다.

아리스토텔레스는 4원소가 서로 다른 비율로 혼합되어 물질을 만든다고 여겼고, 혼합된 원소들 중 가장 우세한 원소가 물체의 운동을 결정한다고 생각했다. 예를 들어 흙과 공기가 혼합되어 이루어진 어떤 물체에서 공기보다 흙이 더 우세하다면, 그 물체는 무거운 원소인 흙의 성질에 따라 지구의 중심을 향해 떨어진다는 것이다.

중세 학자들은 아리스토텔레스와 달리 물체를 구성하는 원소의 비율로 자연스러운 운동을 설명했다. 이들의 주장에 따르면 물체에서 무거운 원소가 차지하는 비율이 가벼운 원소보다 클수록 떨어지는 속도가 점점 더 빨라진다. 반대로 가벼운 원소들의 비율이 높아지면 위로 올라가는 속도가 증가한다.

내적 저항이라는 개념은 원소의 구성 비율에 따라 물체의 낙하 속도가 달라진다는 생각으로부터 자연스럽게 등장했다. 만약 어떤 물체의 무거움과 가벼움의 비율이 7:4라고 하면, 무거움은 그 물체를 떨어뜨리는 동인이 되고 가벼움은 그에 대한 내적 저항이 된다. 어떤 물체가 무거움과 가벼움이 2:9의 비율로 구성된다면, 이번에는 상승이 동인이 되고 무거움은 내적 저항이 된다.

내적 저항 개념은 진공 속에서의 낙하 운동을 받아들일 수 있는 기반이 되었다. 아리스토텔레스는 외부 저항이 없는 진공에서 물체가 자유 낙하

한다면, 떨어지는 속도가 무한대로 빨라지기 때문에 진공이 있을 수 없다고 생각했다. 하지만 내적 저항이 존재한다면 진공에서도 물체의 낙하 속도가 무한대가 되지는 않을 것이다. 중세 학자들은 이렇게 내적 저항이라는 개념을 이용해 진공 속에서 일어나는 자연스러운 운동을 설명했고, 진공의 존재 가능성을 열었다.

내적 저항이라는 개념의 등장은 근대역학에서 아주 중요한 또 다른 아이디어로 이어졌다. 서로 다른 무게의 두 물체가 진공 상태에서 자연스러운 운동을 한다고 가정해 보자. 두 물체의 속도는 물체를 구성하는 원소의 비율로 결정된다. 이것은 두 물체의 낙하 속도가 무게와는 관계없다는 말이고, 무게가 다른 물체들도 같은 속도로 낙하할 수 있음을 의미했다. 이는 무거운 물체일수록 더 빨리 낙하한다고 했던 아리스토텔레스의 생각을 뒤엎는 논리였다.

중세 학자들은 자유 낙하 운동뿐만 아니라 강제된 운동에 대해서도 많은 논의를 했다. 아리스토텔레스는 물체를 강제적으로 움직이기 위해서는 동인이 있어야 하고, 물체가 운동을 하는 동안 공기가 운동을 지속시킨다고 생각했다. 하지만 중세 학자들은 강제된 운동에 대해 이와는 다른 설명을 시도했다.

강제된 운동의 원인에 대한 설명들 중 가장 설득력 있었던 것은 '임페투스(impetus)'라는 개념이다. 임페투스 개념은 장 뷔리당(Jean Buridan, 1300~1358)이라는 학자가 제안했다. 임페투스는 최초에 운동을 일으킨 원인에서 물체로 전해진 원동력을 뜻한다.

뷔리당에 의하면 활을 쏠 때 사수는 화살에 임페투스를 부여한다. 임페투스가 남아 있는 한 화살은 계속 운동하지만, 임페투스가 없어지면 화살은 운동을 멈춘다. 또, 강제된 운동을 하는 물체는 물질량이 많을수록 임페투스를 더 많이 가진다. 따라서 같은 크기의 쇠구슬과 나무 조각을 던졌을 때 임페투스를 더 많이 가지고 있는 쇠구슬이 더 오래, 더 멀리 날아가는 것이라고 뷔리당은 설명했다.

뷔리당은 물체가 떨어질 때 속도가 점점 빨라지는 현상도 임페투스로 설명했다. 물체의 무게가 낙하 현상을 일으킬 뿐만 아니라 임페투스를 점차 증가시킨다는 것이다. 낙하하면서 임페투스가 누적되면 낙하 속도도 계속 증가한다는 것이 그의 설명이었다.

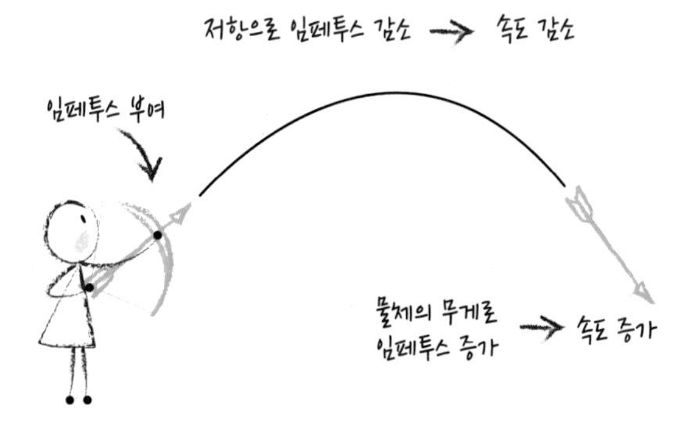

뷔리당은 외부 저항이 없다면 임페투스는 사라지지 않고 물체 안에 계속 남는다고 생각했다. 움직이는 물체가 저항을 받지 않는다면, 영원히 등속 직선 운동을 하게 된다는 의미이다. 이는 모든 물체는 외부에서 힘을 받지 않는 한 자신의 상태를 유지하려고 한다는 관성 개념과 상당히 유사하지만, 뷔리당은 관성 개념을 정립하는 데까지는 나아가지 못했다.

당시 학자들의 생각으로는 무한한 직선 운동이 불가능했기 때문이다. 우주의 크기는 정해져 있고 그 끝은 천구가 가로막고 있다고 믿었던 이들에게, 물체가 무한히 앞으로 나아가는 데 필요한 무한한 우주 개념은 들어 있지 않았다.

이런 한계에도 불구하고 당시에 임페투스 이론은 많은 학자들의 지지를 받았다. 관성을 포함한 근대역학의 여러 개념을 정립한 갈릴레오도 처음에는 임페투스 이론의 열렬한 옹호자였다.

중세 말의 학자들이 자연스러운 운동과 강제된 운동에 대한 논의만 했던 것은 아니다. 당시 옥스퍼드 대학교의 머튼 칼리지에서는 근대역학의 발달에 큰 영향을 미칠 개념들이 등장하고 있었다. 머튼 칼리지의 학자들은 일정하게 속도가 증가하는 운동을 '균일한 가속 운동'으로 정의했는데 이는 오늘날의 '등가속도 운동'에 해당한다. 그뿐만 아니라 이들은 짧은 순간의 속도를 나타내는 '순간 속도' 개념을 정립했고, 일정 시간 동안 물체의 평균적인 속도를 나타내는 '평균 속도 정리'를 유도해 내기도 했다.

이처럼 중세에는 운동에 관한 다양한 개념들이 제시되었다. 중세에 만들어진 개념들은 근대역학의 여러 개념이 탄생하는 씨앗이 되었다.

갈릴레오, 운동 연구에 수학을 이용하다

최초로 근대역학을 시작한 사람으로 보통 갈릴레오 갈릴레이(Galileo Galilei, 1564~1642)를 꼽는다. 그가 근대역학의 핵심 개념인 상대성, 관성, 낙하 운동, 운동의 합성과 분해를 수학적으로 정리했기 때문이다.

갈릴레오 갈릴레이 근대역학의 주요 개념들을 정리했다. 갈릴레오의 이론은 후대 과학자들이 과학 혁명을 일으키는 기반이 되었다.

지금까지 살펴본 중세의 역학 이론에는 이미 근대역학에서 다루는 개념들이 담겨 있었다. 임페투스는 이미 관성의 출현을 예고하고 있었고, 균일하게 가속하는 운동은 자유 낙하 운동을 수학적으로 설명하기 위한 전제 조건이다. 중요한 개념들이 갈릴레오가 나타나기 전에 미리 준비되어 있었던 셈이다.

그렇다면 근대역학의 시작점에서 갈릴레오가 한 일은 무엇일까? 갈릴레오는 여기저기 흩어져 있던 운동에 관한 중세의 논의들을 종합해 중요한 역학 개념을 논리적으로 정리하고 수학화함으로써 근대역학의 기틀을 다졌다.

갈릴레오는 이탈리아의 피사에서 태어났다. 갈릴레오는 수도사가 되고 싶었지만, 아버지는 장남인 갈릴레오가 의사가 되어 집안을 일으키기를 바랐다. 갈릴레오는 아버지의 뜻에 따라 17살이 되던 해에 피사 대학교의 예술과 의학 과정에 등록했다. 하지만 갈릴레오는 의학보다는 유클리드 기하학과 같은 수학에 훨씬 더 흥미를 느꼈다. 특히 고대 그리스의 자연철

피사의 사탑 피사의 사탑에는 갈릴레오가 이곳에서 낙하 운동 실험을 했다는 일화가 전해진다. 그러나 이 이야기는 그의 제자가 지어낸 것이다.

학자이자 수학자였던 아르키메데스(Archimedes, 기원전 287?~기원전 212)의 책들을 혼자서 열심히 공부했다. 갈릴레오의 아버지는 갈릴레오가 수학에 흥미와 재능을 가지고 있음을 알고 마지못해 수학 공부를 해도 좋다고 허락했다. 하지만 수학 이외의 과목에는 별로 관심이 없었던 갈릴레오는 졸업을 위한 최종 시험을 보지 않고 학위도 없이 대학을 떠났다.

대학을 떠난 후에도 갈릴레오는 자신이 좋아하는 수학 연구를 계속해 나갔다. 당대의 여러 학자들은 갈릴레오의 수학적 재능을 인정해 피사 대학교에서 수학을 가르치도록 자리를 마련해 주었다. 당시에는 자연철학과 수학이 서로 다른 학문 분야로 엄격히 구분되어 있었다. 수학 교수는 자연철학 교수에 비해 사회적 지위가 더 낮아서 갈릴레오가 학교 내에서 받는 대우는 좋지 않았다.

갈릴레오는 피사 대학교에서 수학을 가르치는 틈틈이 생각을 정리해 〈운동에 관하여〉라는 논문을 펴냈다. 갈릴레오는 무거운 물체가 가벼운 물체보다 빨리 떨어진다는 아리스토텔레스의 이론이 잘못되었다고 생각했다. 그는 물체마다 떨어지는 속도가 다른 이유를 무게가 아니라 물체가 통과하는 매질의 밀도 차이로 설명하고자 했다.

'무게가 물체의 속도를 결정한다면 물체는 어떤 경우에도 같은 속도로 떨어져야 한다. 그러나 공기와 물에서 물체가 떨어지는 속도는 다르다. 공기 중에서 빠르게 떨어지던 물체도 물에서는 좀 더 느린 속도로 바닥에 닿는다. 어떤 물체는 공기 중에서는 순식간에 낙하하지만 아예 물에 가라앉지 않기도 한다.' 갈릴레오는 이런 식으로 물체의 낙하 속도를 결정하는 요인이 무게가 아닌 다른 요소일 것이라고 추론해 나갔다.

갈릴레오는 서로 다른 크기의 우박들이 동시에 땅에 떨어지는 것을 보고 무게가 다른 두 물체가 같은 속도로 떨어질 수 있다는 확신을 얻었다. 그는 사고 실험 끝에 매질의 저항이 없는 진공에서는 물체의 낙하 속도가 모두 같을 것이라는 결론을 내렸다. 이는 물체의 낙하 속도를 결정하는 요인이 물체 자체의 내부적 성질이 아니라 외부적인 힘이라는 것을 의미한다. 이후 뉴턴은 그 힘이 바로 중력임을 증명했다.

무게가 다른 물체들이 진공에서 같은 속도로 떨어진다는 갈릴레오의 생각은 그로부터 약 380년 후인 1971년에야 실제로 증명되었다. 아폴로 15호를 타고 달에 간 데이비드 스콧 대령은 달에서 망치와 깃털을 떨어뜨리는 실험을 했다. 두 물체는 동시에 땅에 닿았고, 낙하 속도에 관한 갈릴레오의 추론은 입증되었다.

갈릴레오에 대한 피사 대학교 동료 교수들의 평가는 좋지 않았다. 갈릴레오의 논문이 아리스토텔레스의 이론에 반하는 내용을 담았기 때문이다. 그는 결국 피사 대학교와의 재계약에 실패하고 말았지만, 다행히 파도바 대학교에서 수학 교수 자리를 얻을 수 있었다. 갈릴레오는 파도바 대학

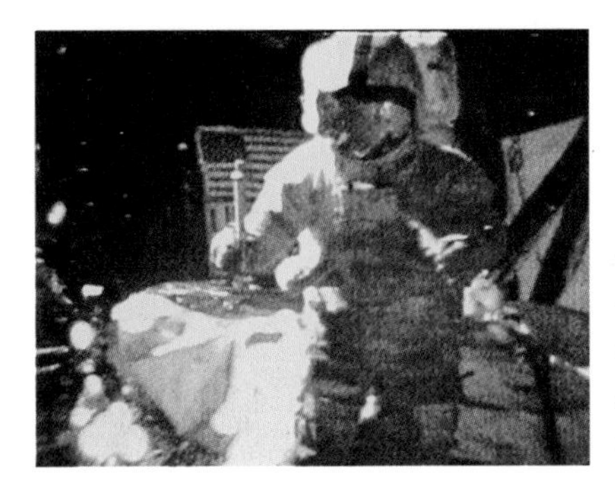

달에서의 낙하 실험 달에서 망치와 깃털을 동시에 떨어뜨리자 두 물체는 동시에 땅에 닿았다. 이 실험으로 물체의 낙하 속도는 물체의 무게와 관련이 없다는 것이 입증되었다.

교에서 한동안 수학과 천문학을 가르치는 일에 전념하다가 1602년 여름부터 운동에 관한 연구를 다시 시작했다.

갈릴레오는 운동을 연구하면서 천문학자들이 오랫동안 사용하던 방법을 이용하기로 마음먹었다. 프톨레마이오스 같은 천문학자들은 아리스토텔레스 같은 자연철학자가 만든 우주 모델을 다양한 천문 관측 현상에 부합하도록 조금씩 수정해 나가는 방식으로 천문을 연구했다. 갈릴레오는 이러한 방법에서 연구 아이디어를 얻었다. 그는 먼저 운동에 관한 수학식을 만들고, 실험 결과에 맞도록 식을 고쳐 가면서 역학 연구를 해 나갔다. 역학 분야에서는 처음으로 시도된 방법이었다.

갈릴레오가 수학을 중시하게 된 데는 신플라톤주의라는 철학 사조의 영향이 컸다. 3세기에 생겨난 신플라톤주의는 르네상스를 거치며 이탈리아에서 다시 유행하고 있었다. 신플라톤주의자들은 우주의 신비를 풀 열쇠가 수학에 있다고 믿었다. 갈릴레오도 "수학은 신이 우주를 쓰는 데 이용한 언어이다."라고 말했다. 신플라톤주의자들은 자연 현상을 수학식으로 나타낼 수 있다면 자연을 제대로 이해한 것이라고 믿었다.

갈릴레오의 낙하 실험 장치 **갈릴레오는 빗면을 이용해 낙하 운동하는 물체의 이동 거리와 시간을 측정했다.**

아리스토텔레스 같은 고대 철학자들에게는 운동의 원인과 목적이 중요했지만, 갈릴레오와 같은 신플라톤주의자들은 운동이 어떻게 일어나는지를 수학적으로 정확하게 기술하는 것이 목표였다. 당시 수학은 자연철학으로 인정받지 못하고 있었지만, 갈릴레오는 수학이 자연철학과 동등할 뿐만 아니라 수학을 통해 자연에 관한 더 많은 지식을 만들어 낼 수 있다고 믿고 있었다. 갈릴레오는 물체가 자유 낙하 운동을 할 때 속도가 점점 빨라지는 현상을 간단하고 분명한 수학적 방식으로 나타내려고 했다.

갈릴레오는 1638년에 《새로운 두 과학》을 출판했다. 여러 운동을 수학적으로 분석한 이 책은 세 사람이 나흘 동안 이야기를 주고받는 형식으로 구성되어 있다. 갈릴레오는 낙하 운동에 대한 자신의 이론을 등장인물들이 셋째 날과 마지막 날에 나눈 대화에 담았다. 갈릴레오에 의하면, 자유 낙하 하는 물체가 이동하는 거리는 물체의 무게와 무관하고, 시간의 제곱에 비례해서 증가한다. 또 그는 진공 속에서는 모든 물체가 크기와 무게와 관계없이 같은 속도로 낙하한다고 주장했다. 갈릴레오는 '자유 낙하 법칙'

을 알아낸 것이다.

갈릴레오는 어떻게 자유 낙하 법칙을 알아냈을까? 빠르게 낙하하는 물체의 속도 변화를 알아내기란 쉬운 일이 아닌데 말이다. 갈릴레오는 이를 위해 긴 경사면에 홈을 파서 쇠공이 굴러가도록 한 자신만의 실험 장치를 고안했다. 그는 빗면에서 굴러 내려가는 물체의 운동이나 수직으로 떨어지는 물체의 운동이 같은 방식으로 이루어질 것이라고 생각했다.

갈릴레오는 이 빗면 실험 장치를 이용해 낙하하는 물체의 이동 거리와 낙하 시간의 관계를 알아냈다. 갈릴레오는 맥박을 이용해 시간을 재며, 같은 시간 간격을 두고 쇠공의 이동 거리를 측정했다. 처음 1초 동안 쇠공이 이동한 거리를 1이라고 한다면, 다음 1초 동안 쇠공은 3만큼, 다음에는 5만큼 이동했다. 같은 시간 간격 동안 이동한 거리가 계속 2씩 증가한 것을 알 수 있다. 이것은 낙하하는 물체의 속도가 시간에 비례해서 일정하게 증가했음을 의미한다. 속도가 증가하는 정도, 즉 가속도가 일정한 운동을 등가속도 운동이라고 부르는데, 갈릴레오의 실험에 의하면 낙하하는 물체는 바로 이 등가속도 운동을 한다고 해석할 수 있다.

한편 매 초마다 이동 거리가 2씩 증가했다는 것은 1초 동안에는 1, 2초 동안에는 2의 제곱인 4, 3초 동안에는 3의 제곱인 9를 이동했음을 의미한다. 갈릴레오는 이런 방식으로 낙하하는 물체의 이동거리가 이동에 걸린 시간의 제곱에 비례한다는 것을 밝혀냈다.

갈릴레오는 자신의 저서 《새로운 두 과학》에서 실험 방식에 대해서 자세히 설명했다.

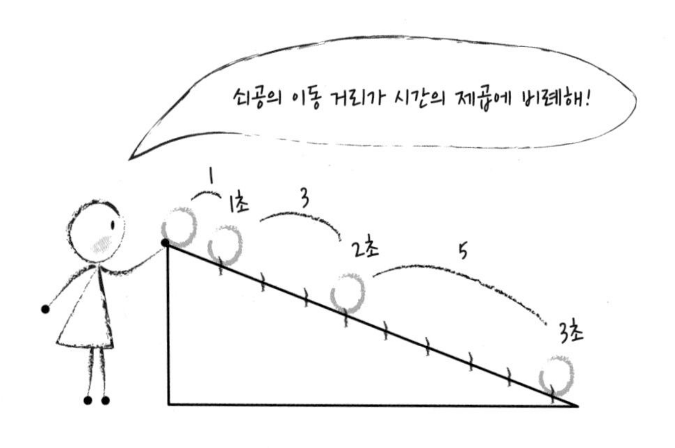

길이 12큐빗 폭은 반 큐빗, 두께는 손가락 길이 정도 되는 긴 나무판을 구하고, 거기에다 폭이 손가락 마디 정도 되는 홈을 팠어. 홈을 매우 곧고 매끄럽게 닦은 다음, 안에 양피지를 대었어. 나무판의 한쪽 끝을 한두 큐빗 정도 올려서 경사지게 놓은 다음, 홈을 따라 단단하고 매끄러운 구리 공을 굴렸어. 그리고 공이 내려오는 데 걸리는 시간을 쟀어. 실험을 여러 번 되풀이해 시간의 차이가 맥박 수 1/10 이하가 될 정도로 정확하게 쟀어. 정확성을 믿을 수 있게 된 다음, 거리를 1/4로 줄여서 굴려 보았어. 그러니까 내려오는 데 걸리는 시간이 정확히 절반이 되었어.

그 다음 거리를 바꿔서 실험을 했어. 전체 길이를 내려올 때 걸리는 시간과 절반, 또는 2/3, 또는 3/4, 또는 어떠한 분수로 표현되는 거리들에 대해 실험을 했어. 이런 실험을 100번 이상 되풀이했는데, 항상 움직인 거리는 걸린 시간의 제곱에 비례했어. 이것은 공이 굴러 내려오는 나무판의 기울기가 얼마이든 상관없이 늘 사실이었어. 그리고 경사가 다른 경우들을 서로 비교했을 때 공이 내려오는 데 걸리는 시간은 글쓴이가 예측하고 증명한 것과 일치했어.

– 갈릴레오 갈릴레이, 《새로운 두 과학》(홍성욱, 《과학고전선집》, 167쪽)

갈릴레오가 근대역학을 시작하다

앞서 살펴본 대로 갈릴레오는 무게가 아닌 매질의 밀도라는 개념으로 낙하 운동에 접근했다. 진공 상태는 있을 수 없다는 아리스토텔레스의 생각이 틀렸음을 주장했고, 낙하 운동을 내적 저항이라는 개념으로 접근했던 중세 학자들과도 다른 설명 방식을 찾았다. 단, 갈릴레오는 자유 낙하에서 가속의 원인을 제대로 설명하지 못하고 '자연스럽게 가속되는 운동'이라고 말했다. 아직 중력 개념이 없었던 시대에 갈릴레오로서 할 수 있었던 최선이었다.

낙하 운동에 관한 연구에서 갈릴레오의 공헌은 2가지로 정리해 볼 수 있다.

갈릴레오의 자유 낙하 운동 법칙

자유 낙하 물체의 이동 거리 : (떨어진 시간)^2 에 비례

진공 속의 낙하 속도 : 모두 같음

갈릴레오는 자유 낙하 운동을 새롭게 이해했고, 그의 주장은 오늘날 우리가 이해하고 있는 자유 낙하 운동의 개념과 일치한다. 갈릴레오의 업적은 여기에서 그치지 않았다. 갈릴레오의 저서인 《세계의 두 체계에 관한 대화》, 《새로운 두 과학》에는 근대역학의 여러 기본 개념들이 들어 있다. 이러한 개념들은 갈릴레오가 믿었던 태양 중심 우주 체계를 지지했을 뿐만 아니라, 뉴턴의 보편 중력의 법칙 발견으로 이어졌다. 갈릴레오를 근대역학을 시작한 사람이라고 부르는 이유이다.

또 다른 이야기 | 과학의 암흑기 중세는 과학의 황금기였다

보통 중세는 과학의 암흑기였다고 생각한다. 중세 유럽에서는 학문의 목표가 모두 기독교와 관련되어 있었고, 과학은 종교를 뒷받침하는 이론에 불과했다. 하지만 이 당시 서유럽 밖의 다른 지역에서는 과학이 발전하고 있었다. 그러니 중세를 과학의 암흑기라고 말한다면, 그것은 서유럽만을 염두에 둔 발언이다.

시야를 좀 더 넓히면 이 시기에 과학을 발전시켰던 사람들을 많이 발견할 수 있다. 바로 8세기에서 12세기 사이에 과학의 꽃을 피웠던 이슬람인들이다. 7세기부터 8세기까지 급속도로 세력을 확장해 거대한 제국을 건설한 이슬람인들은 자신들이 정복한 각 지역의 학문과 문화를 적극적으로 수용했다. 관용적이고 개방적인 태도로 다른 문화들을 흡수했던 이슬람 왕조는 새롭게 접한 다양한 학문 서적들을 아랍어로 번역하는 사업을 대대적으로 지원했다. 특히 그리스의 고전 번역 작업을 광범위하게 진행해 나갔다.

이슬람의 학자들은 그리스어 원전들을 아랍어로 번역할 때 언어를 그대로 옮기는 데 그치지 않고, 내용에 대해 적극적으로 주석을 달았다. 주석이란 책의 내용을 쉽게 풀어 주는 글인데, 주석을 다는 과정에서 이슬람인들은 고대 그리스의 학문 내용을 교정하고 확장하고 명확히 했다. 이를 바탕으로 의학, 광학, 천문학, 수학, 연금술 등의 각 학분 분야에서 엄청난 발전을 이뤄 냈다.

이처럼 서유럽에서 과학 발전이 정체되어 있던 시기에 유럽의 동쪽 이슬람 문화권에서는 과학이 꽃을 활짝 피웠다. 따라서 중세가 과학의 암흑기였다는 말을 할 때는 좀 더 신중한 자세가 필요하다.

정리해 보자 | 자유 낙하 법칙의 발견

자연철학자들은 오랜 옛날부터 물체가 아래로 떨어지는 원인을 설명하고자 했다. 고대 그리스의 아리스토텔레스는 무게라는 물체의 고유한 속성으로 자유 낙하 운동을 설명했고, 진공의 존재를 부정했다. 무거운 물체가 가벼운 물체보다 더 빨리 떨어진다는 그의 생각은 과학 혁명 시기까지 계속 수용되었다.

중세의 학자들은 내적 저항이라는 개념을 만들어 진공에서도 물체가 운동할 수 있다고 주장했다. 이들은 또한 임페투스 개념을 만들어 낙하하는 물체의 속도가 빨라지는 이유를 설명했다.

갈릴레오는 이 논의들을 종합하고 확장해 자유 낙하 법칙을 확립했다. 갈릴레오는 빗면 실험을 통해 자유 낙하 하는 물체의 속도는 일정하게 증가하며, 물체가 이동한 거리는 떨어진 시간의 제곱에 비례한다고 결론 내렸다.

아리스토텔레스
- 운동의 구분 : 지상계의 물체는 자연스러운 운동과 강제된 운동을 함
- 자연스러운 운동 : 낙하 운동 속도는 물체의 무게에 비례하고 저항에 반비례
- 진공에 대한 생각 : 진공에서는 물체의 속도가 무한대가 되므로 진공은 불가능

중세
- 내적 저항 : 진공에서도 물체의 속도는 무한대가 되지 않음
- 임페투스 : 낙하 속도가 빨라지는 이유는 임페투스가 점점 증가하기 때문

갈릴레오
- 자유 낙하 법칙 : 자유 낙하 하는 물체가 이동한 거리는 시간의 제곱에 비례
- 진공에 대한 생각 : 진공에서는 저항이 없어 모든 물체가 같은 속도로 낙하

Chapter 2

갈릴레오, 새로운 우주관을 찾아 나서다

관성과 근대역학의 시작

과학을 탐구함에 있어서는,

수천 명의 말보다 한 개인의 하찮은 생각이 더 가치 있다.

– 갈릴레오 갈릴레이 –

1600년 초까지 자유 낙하 운동 법칙을 정립한 갈릴레오는 이후로 한동안 역학 연구에 매진할 수 없었다. 그 사이에 신분과 학문적 관심사가 많이 달라졌기 때문이다. 1610년에 갈릴레오는 망원경으로 목성의 위성을 발견했다. 이를 계기로 그는 당시 이탈리아 토스카나 지방을 다스리던 메디치가의 수석 자연철학자이자 피사 대학교의 수학 교수가 되었다. 이 시기에 갈릴레오의 연구는 천문학 쪽에 집중되었다.

갈릴레오는 1632년에 《세계의 두 체계에 관한 대화》를 출판해 이듬해에 종교 재판을 받았고, 그 뒤로 다시 역학 연구에 매진하게 되었다. 가택연금 형을 받은 갈릴레오는 메디치가의 후원이 끊긴 상태에서 1638년에 《새로운 두 과학》을 출판했다. 갈릴레오는 이 두 책에서 근대역학의 중요한 개념들을 제시하고 정립했다.

갈릴레오가 근대역학을 완성했다고 평가할 수는 없다. 갈릴레오가 제시했던 역학 개념들 중에는 오늘날의 관점으로 보았을 때 잘못된 것들도 꽤 있다. 하지만 갈릴레오 이전과 갈릴레오 이후의 역학이 어떻게 달라졌는지를 비교해 보면, 그가 근대역학의 발달에 큰 기여를 했다는 점을 깨닫게 된다.

지구가 태양을 돌기 위해 새로운 역학이 필요해지다

근대역학은 여러 가지 개념을 포함하고 있지만 특히 운동의 상대성 개념, 관성 개념, 그리고 운동의 분해와 합성을 중요하게 다룬다. 이 개념들을 처음으로 체계적으로 다룬 책이 갈릴레오의《세계의 두 체계에 관한 대화》(이하《대화》)와《새로운 두 과학》이다.

갈릴레오의 역학을 이해하기 위해서는 당시 사람들이 믿던 우주의 모습을 알아야 한다. 학자들은 오랫동안 우주의 중심에는 지구가 있고, 다른 행성들은 지구를 중심으로 공전한다고 생각했다. 아리스토텔레스는 지구를 여러 겹의 천구가 싸고 있고, 하늘에 보이는 무수히 많은 별과 행성이 천구에 붙어 있다고 상상했다. 그리고 우주 가장 바깥의 항성 천구가 하루에 한 바퀴씩 지구를 중심으로 회전하기 때문에 별들이 매일 뜨고 진다고 여겼다. 땅에서 하늘을 올려다보면 모든 천체가 지구를 중심으로 돌고 있는 것처럼 보이니 이는 어떻게 보면 아주 당연한 생각이다.

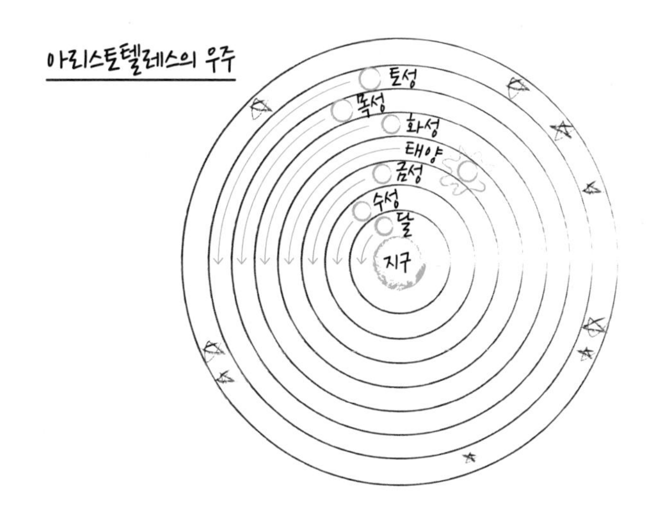

아리스토텔레스의 이러한 우주관을 바탕으로 행성들의 움직임을 가장 정확하게 설명했던 사람이 클라우디오스 프톨레마이오스(Claudios Ptolemaeos, 100?~170?)라는 고대 그리스 천문학자이다. 프톨레마이오스는 아리스토텔레스의 우주 구조를 독창적으로 재해석해 행성 운동 모델을 만들었다.

당시 천문학자들의 최대 과제 중 하나는 서쪽으로 이동하던 행성들이 갑자기 방향을 바꿔 동쪽으로 움직이는 역행 운동을 설명하는 것이었다. 천체가 등속 원운동을 한다고 가정했던 아리스토텔레스의 우주 체계로는 행성의 역행 운동을 설명할 수 없었다. 프톨레마이오스는 이 과제를 독창적인 방식으로 해결했다. 각 행성들이 주전원이라는 작은 원을 돌면서 지구를 공전한다고 주장했던 것이다. 프톨레마이오스의 이 해석은 역행 운동을 아주 명쾌하게 설명했기 때문에 많은 학자들에게 받아들여졌다.

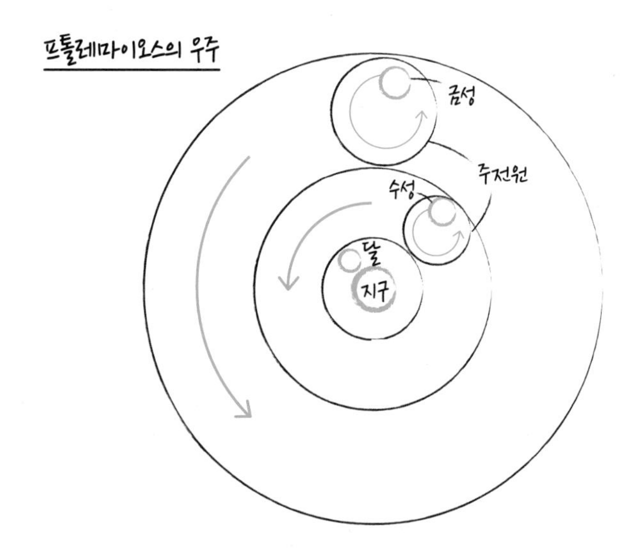

그런데 폴란드의 천문학자 니콜라우스 코페르니쿠스(Nicolaus Copernicus, 1473~1543)는 1543년에 출판된《천구의 회전에 관하여》라는 책에서 혁명적인 주장을 했다. 우주의 중심은 지구가 아니라 태양이며, 지구는 자전하면서 동시에 태양 주위를 공전한다는 가설이었다. 오늘날에는 태양계의 중심이 태양이라는 사실을 누구나 받아들이지만, 당시까지만 해도 믿기 어려운 이야기였다. 많은 사람들이 코페르니쿠스의 우주 체계에 다음과 같은 역학적 의문을 제기했다.

이렇게 큰 지구가 자전을 한다면 엄청나게 빠른 속도로 돌 것이다. 그렇다면 지구에 있는 물체들은 속도 때문에 모두 밖으로 튕겨 나갈 텐데 우리는 왜 그대로 지구에 붙어 있는가?

아리스토텔레스에 의하면 무거운 물체가 지구의 중심으로 떨어지는 이유는 지구가 우주의 중심에 있기 때문이다. 그런데 지구가 우주의 중심이 아니라면 왜 무거운 물체들이 지구로 떨어진단 말인가?

화살을 위로 똑바로 쏘아 올려 보자. 만약 지구가 자전을 한다면 화살이 떨어지는 동안 땅이 움직이기 때문에 화살은 다른 곳에 떨어져야 하는데, 실제로는 제자리에 떨어진다. 마찬가지로 높은 탑에서 떨어뜨린 공도 뒤쪽이 아니라 바로 아래로 떨어진다. 지구가 가만히 있지 않으면 이런 일은 있을 수 없다.

이는 코페르니쿠스가 제시한 새로운 우주 체계를 받아들이기 위해서는 지구의 운동과 관련된 의문들을 함께 해결해야 함을 의미했다. 즉 천문학의 변화를 수용하기 위해서는 역학적인 문제들에 대한 답을 찾을 필요가 있었던 셈이다.

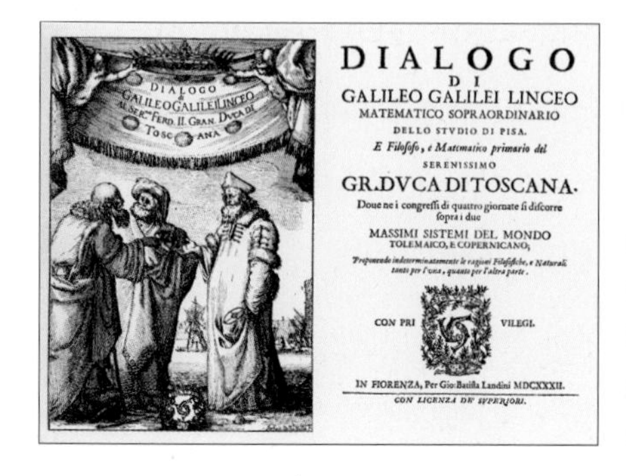
DIALOGO
DI
GALILEO GALILEI LINCEO
MATEMATICO SOPRAORDINARIO
DELLO STVDIO DI PISA.
E Filosofo, e Matematico primario del
SERENISSIMO
GR.DVCA DI TOSCANA.
Doue ne i congressi di quattro giornate si discorre
sopra i due
MASSIMI SISTEMI DEL MONDO
TOLEMAICO, E COPERNICANO;
*Proponendo indeterminatamente le ragioni Filosofiche, e Naturali
tanto per l'una, quanto per l'altra parte.*
CON PRI VILEGI.
IN FIORENZA, Per Gio:Batista Landini MDCXXXII.
CON LICENZA DE' SVPERIORI.

◐ 《세계의 두 체계에 관한 대화》 속표지
책에 등장하는 세 인물이 그려져 있다. 살비아티와 사그레도는 갈릴레오의 친구 이름이고, 심플리치오는 고대 그리스의 아리스토텔레스주의자의 이름이다.

갈릴레오는 《대화》와 《새로운 두 과학》에서 바로 이 문제들을 해결할 수 있는 역학 개념들을 제시했다. 갈릴레오는 자신이 정립한 여러 역학 개념을 토대로 코페르니쿠스의 천문학이 던진 문제들을 하나씩 수학적으로 해결해 나갔다. 자연을 수학화하는 근대 물리학의 전통은 《대화》에서부터 시작되었다고 할 수 있다.

《대화》는 등장인물들이 나흘 동안 천체와 지구의 자전과 공전, 물체의 운동, 조석 현상 등에 대해 대화를 나누는 형식으로 쓰였다. 이 책의 등장인물은 심플리치오, 살비아티, 사그레도 세 사람인데, 이들은 각각 아리스토텔레스주의자, 코페르니쿠스주의자, 중립적인 사회자 역할을 맡아 논쟁을 이끌어 간다.

《대화》의 표지에서 갈릴레오는 당시의 2가지 주된 우주관인 프톨레마이오스 체계와 코페르니쿠스 체계에 관해 공정하게 논하겠다고 썼다. 그래서 로마 교황청이 책 출판을 허가했던 것이다. 하지만 실제 출판된 《대화》는 누가 보더라도 코페르니쿠스 체계를 옹호하고 있었다.

갈릴레오가 《대화》에서 가장 중요하게 다룬 주제는 밀물과 썰물이었다. 오늘날에는 조석 현상을 달과 지구 사이의 인력, 달과 지구의 자전으로 생긴 원심력의 합으로 설명한다.

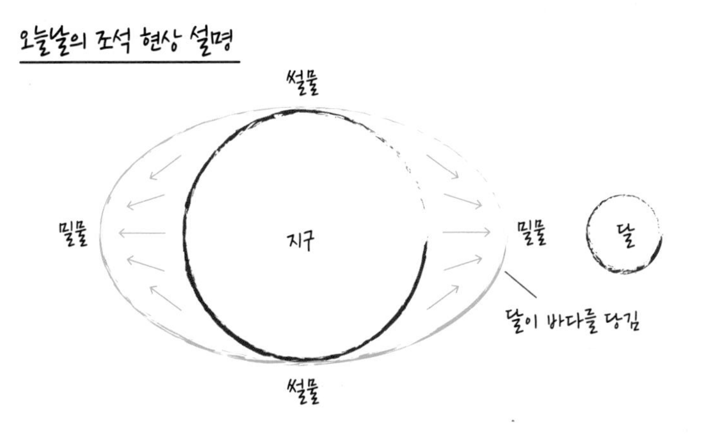

하지만 갈릴레오가 살던 시기에는 인력 개념이 없었기에 갈릴레오는 이 문제를 역학적인 방법으로 해결하고자 했다. 그에게는 달이 직접적으로 지구에 영향을 미친다는 개념이 상당히 비과학적으로 보였기 때문이다.

갈릴레오는 밀물과 썰물 현상을 커다란 그릇에 담긴 물에 비유했다. 그릇이 움직이는 속력이 변하면 그릇 속의 물이 앞이나 뒤로 쏠려서 올라간다. 물을 담은 그릇을 앞쪽으로 빠르게 움직이면 그릇 속의 물은 뒤쪽으로 쏠린다. 그렇게 움직이던 그릇이 갑자기 멈춘다면 물은 앞으로 쏠려 올라간다. 갈릴레오는 바닷물의 움직임도 이 그릇 속의 물과 같을 것이라고 예측했다.

갈릴레오의 이론에 따르면 지구의 자전과 공전이 결합해 지구의 각 부분마다 속도가 느려지거나 빨라져 조석 현상을 일으킨다. 지구의 태양 반대편에서는 공전 방향과 자전 방향이 같다. 공전 속도와 지구의 자전 속도가 합쳐지면 땅의 속도가 빨라진다. 반면 태양과 가까운 부분에서는 공전 방향과 자전 방향이 반대가 되어 땅의 속도가 느려진다. 그릇에 담긴 물처럼 땅의 속도가 빠른 부분에서는 바닷물이 그 속도를 따라가지 못해 뒤처지고, 반대편에서는 땅이 느려지니까 바닷물이 앞으로 쏠린다. 갈릴레오는 이런 현상이 반복되어 밀물과 썰물이 생긴다고 생각했다.

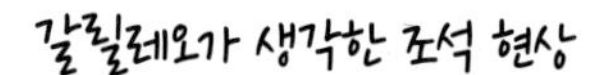

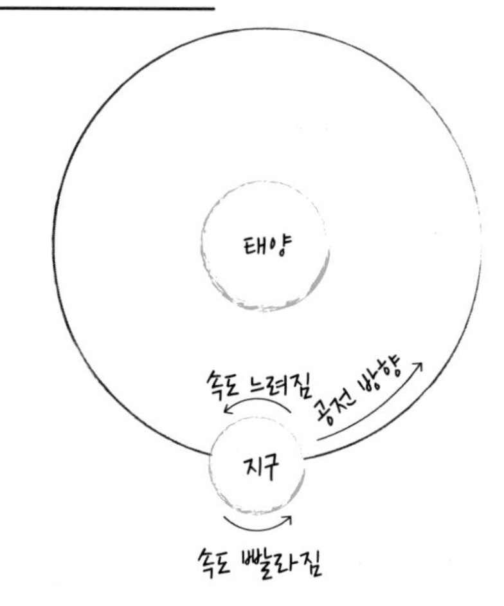

갈릴레오의 설명은 우주의 중심에 태양이 있고 지구가 자전을 하면서 태양 주위를 공전한다는 코페르니쿠스 우주 체계를 인정해야 받아들일 수 있다. 갈릴레오는 이처럼 역학적인 문제들을 논하면서 독자가 동시에 코페르니쿠스 체계도 수용하도록 《대화》를 구성했다. 《대화》는 결국 불온 서적이라는 혐의를 받았고, 갈릴레오는 종교 재판에 회부되었다. 로마에서 진행된 종교 재판에서 갈릴레오는 참회성사를 읽고 자신의 유죄를 인

〈종교 재판소 앞의 갈릴레오〉 조제프 니콜라 로베르 플뢰리의 작품으로 1847년에 그려졌다.

정했다. 그리고 2급 이단 혐의를 받아 종신 가택 연금에 처했다.

종교 재판에서 갈릴레오가 읽은 참회성사의 일부는 다음과 같다.

이 종교 재판소에서는 저에게 해가 세계의 중심에 있고 움직이지 않는다는 잘못된 생각을 버리고, 그런 틀린 개념을 옹호하지도 말며, 가르치지도 말라고 명령했습니다. 그리고 저의 생각이 성경과 어긋남을 알려 주었습니다.

저는 제가 쓴 책에서 이 저주받을 개념을 다루었으며, 이 개념을 지지하기 위해 많은 이유들을 꿰어 맞추었습니다. 그러고는 아무런 해답도 제시하지 않았기 때문에 이제 이단으로 오해를 받게 되었습니다. (중략)

진심으로 말하건대, 제가 가지고 있는 잘못된 개념과 이단 사상, 그리고 교회의 가르침과 어긋나는 다른 어떠한 실수든 저주하고 혐오할 것입니다. 그리고 앞으로 다시는 입을 통해서든 글을 통해서든 이와 비슷한 오해를 일으킬 수 있는 말을 하지 않을 것을 맹세합니다.

-갈릴레오의 참회성사(제임스 맥라클란, 《물리학의 탄생과 갈릴레오》, 128~129쪽)

가택 연금 상태에서 갈릴레오는 초기의 역학 연구로 되돌아가서 자신의 연구 결과를 집대성한 《새로운 두 과학》을 집필했다. 이 책을 쓰기 전부터 갈릴레오의 시력은 나빠지고 있었고, 출판되었을 때는 완전히 눈이 멀어 버렸다고 한다. 게다가 종교 재판 뒤로 책 출판도 금지되어 원고를 이탈리아에서 프랑스로, 프랑스에서 다시 네덜란드로 몰래 빼돌려 출판해야 했다.

교황청은 오랜 시간이 지나서야 갈릴레오의 업적을 인정했다. 1992년에 교황 요한 바오로 2세는 코페르니쿠스 우주 체계를 인정하고 갈릴레오에 대한 재판이 잘못되었다는 것을 공식적으로 시인했다.

땅은 움직이고, 우리도 함께 움직인다

갈릴레오의 《대화》와 《새로운 두 과학》에 등장하는 근대역학 개념 중에는 '관성'이 있다. 관성이란 어떤 물체가 자신의 상태를 그대로 유지하려고 하는 성질이다. 외부로부터 힘을 받지 않을 때 멈춰 있는 물체는 계속 멈춰 있으려고 하고, 움직이는 물체는 계속 움직이려고 한다.

우리는 일상에서 관성 때문에 일어나는 다양한 현상들을 만날 수 있다. 달리던 버스가 갑자기 멈출 때 승객들이 앞으로 기울어지는 건 움직이던 물체가 계속 앞으로 움직이려는 관성 때문이다. 반대로 멈춰 있던 버스가 갑자기 출발하면 안에 있던 사람들은 뒤로 쏠리는데 이건 계속 멈춰 있으려는 관성 때문이다. 두루마리 휴지를 빠르게 잡아당기면 화장지가 끊어지는 것도 끊어진 위쪽의 휴지가 가만히 있으려는 관성 때문이다.

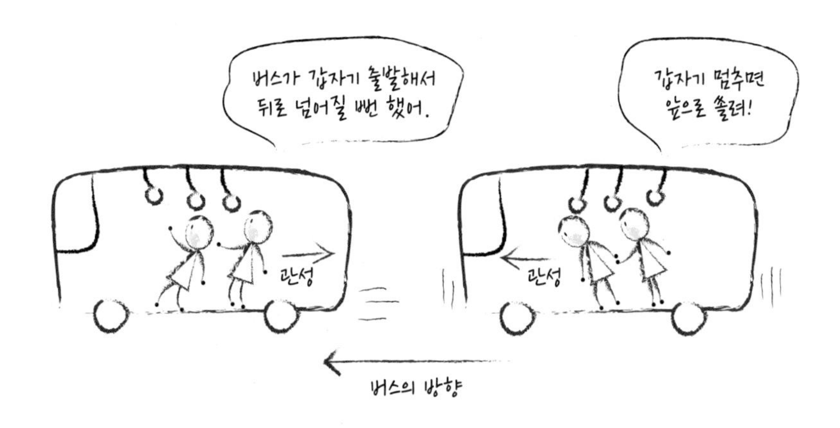

갈릴레오 이전의 학자들은 위로 쏘아 올린 화살이나 높은 곳에서 떨어뜨린 쇠공이 바로 아래로 떨어지는 현상이야말로 지구가 멈추어 있음을 보여 주는 증거라고 믿었다. 하지만 갈릴레오의 생각은 좀 달랐다. 갈릴레오는 그런 현상이 일어나는 이유가 화살이나 쇠공이 지구의 원운동을 공유하고 있기 때문이라고 생각했다. 높은 곳에서 떨어뜨린 공은 겉으로 보기에는 바로 아래로 떨어진 것처럼 보이지만 사실은 그사이에 지구와 함께 돌았다는 것이다.

갈릴레오는 이 이론을 어항 속의 물고기에 비유했다. 금붕어가 헤엄치고 있는 어항이 있다고 가정해 보자. 이때 어항을 돌리면 안에 있는 금붕어는 어항과 함께 돌아갈 것이다. 금붕어는 어항이라는 공간이 돌면서 자연스럽게 같이 돌았기 때문에 어항이 돈다는 것을 알지 못한다. 우리도 이와 마찬가지다. 어항은 지구이고, 우리가 금붕어이다. 우리도 지구와 함께 돌고 있기 때문에 지구의 움직임을 느끼지 못한다. 이는 매우 설득력 있는 비유였다.

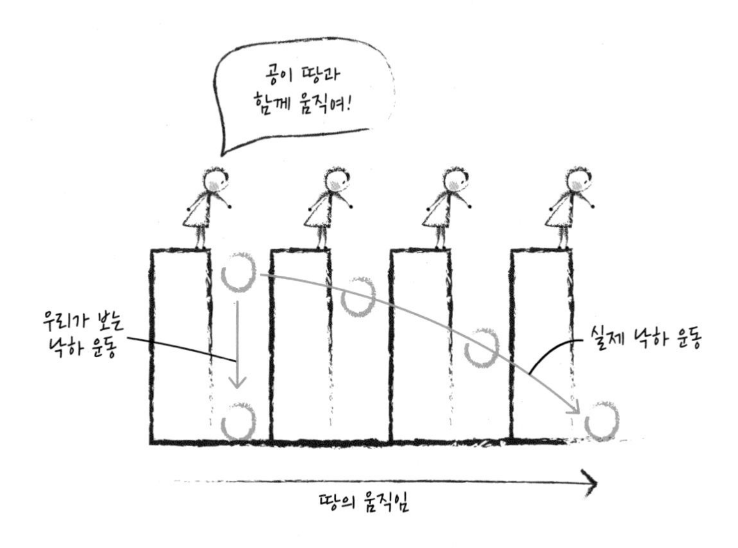

갈릴레오는 여기에서 더 나아가 빗면을 굴러가는 쇠공으로 사고 실험을 진행했다. 만약 어떤 쇠공이 일정한 속도로 굴러가고 있다면, 이 쇠공은 지구와 함께 계속해서 지구 표면을 돌게 될 것이다.

그렇다면 마찰이 없는 곳에서는 쇠공이 어떻게 움직일까? 마찰이 없는 U자 경사면에 쇠공을 굴리면 쇠공은 처음 굴렸던 높이만큼 올라간다. 만약 이 쇠공이 마찰이 없는 수평면을 굴러가도록 하면, 저항이 없기 때문에 쇠공은 지구를 따라 무한히 굴러갈 것이다. 이것이 바로 최초의 관성 개념이다.

갈릴레오의 관성 사고 실험

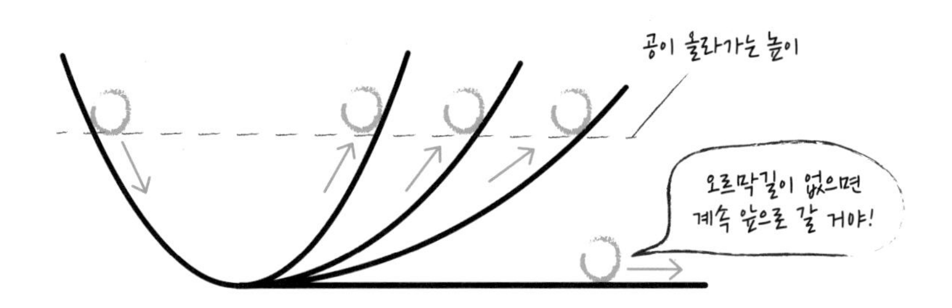

물론 갈릴레오의 관성은 오늘날의 관성 개념과 약간 다르다. 갈릴레오가 생각했던 관성은 물체가 지구의 표면을 따라 도는 등속 원운동이었다. 오늘날에 관성은 일정한 속도로 앞으로 나아가는 등속 직선 운동을 가리킨다. 이런 차이에도 불구하고 관성에 대한 갈릴레오의 생각에는 큰 의의가 있다. 물체가 운동을 지속하려는 속성을 지닌다는 사실을 처음으로 밝혔기 때문이다.

관성에 관한 갈릴레오의 생각은 아리스토텔레스의 운동 이론이 폐기되고 근대역학이 들어서는 데 큰 공헌을 했다. 아리스토텔레스는 물체의 이동만이 아니라 모든 종류의 변화를 운동으로 간주했다. 또한 자연스러운 운동을 제외한 강제적인 운동에는 물체를 움직이는 힘인 동인이나 원동력이 필요하다고 여겼다.

갈릴레오는 아리스토텔레스와 달리 운동과 정지가 모두 일종의 상태라고 생각했다. 운동도 하나의 상태이니까 운동을 유지할 때는 힘이 필요 없고, 상태를 변화시킬 때만 외부에서 힘을 줄 필요가 있다는 것이다. 운동을 상태로 보게 되자 운동하는 물체는 운동 상태를 유지하려고 하고,

정지해 있던 물체는 계속 정지해 있고자 한다는 가정이 자연스럽게 따라 나왔다.

관성 개념을 통해 갈릴레오가 보여 주려던 것은 무엇이었을까? 《대화》에서 그 답을 찾을 수 있다. 저항이 없다면 물체가 운동 상태를 지속한다는 갈릴레오의 관성 개념은 지구가 자전한다는 그의 신념을 지지하는 데 이용되었다.

살비아티: 어떤 배가 잔잔한 바다를 항해하면, 위나 아래로 조금도 기울지 않은 표면을 따라 움직이는 것이겠군. 만약 모든 바깥의 우연한 장애물들을 없애면, 배는 맨 처음에 얻은 추진력에 따라 영원히 멈추지 않고 일정한 속력으로 움직이겠지? (중략) 이제 돛대 꼭대기에 있는 돌에 대해서 생각해 보세. 이 돌은 배와 함께 움직이니 지구를 중심으로 그린 원둘레를 따라 움직이는 거지? 그러니 바깥의 모든 힘과 방해를 없애면, 이 돌은 영원히 움직이려는 근원적인 경향을 가지겠지? 게다가 돌은 배와 같은 속력으로 움직이고 있지 않은가? (중략)

심플리치오: 완전히 각인된 운동으로, 돌이 배에서 멀어지지 않고 배를 따라 움직인다는 거군. 그리고 배가 가만히 있는 경우와 마찬가지로 돌이 같은 지점에 떨어지겠군.

살비아티: 이제는 돌이 언제나 갑판의 같은 지점에 떨어지는 것으로는 배가 움직이는지 가만히 있는지 판단할 수 없음을 깨달았을 거라고 믿네.

–갈릴레오 갈릴레이, 《세계의 두 체계에 대한 대화》(홍성욱, 《과학고전선집》, 93~94쪽)

갈릴레오가 생각해 낸 원운동의 일부로서의 관성 개념은, 후에 오늘날과 같은 직선 운동 개념으로 바뀐다. 관성은 나중에 뉴턴의 운동 제3법칙 중 하나로 다시 정리된다. 뉴턴은 물체가 정지 상태나 등속 직선 운동 상태를 유지하려는 힘, 다시 말해 운동 상태를 변화시키려는 외부 힘에 대한 내적 저항을 관성이라고 정리했다.

운동과 정지 상태는 관찰자에 따라 결정된다

갈릴레오가 만든 또 다른 중요한 운동 개념으로는 운동과 정지의 상대성이 있다. 중세 말까지만 해도 사람들은 정지 상태와 운동 상태가 절대적으로 구분된다고 믿었다. 지구는 정지해 있고 하늘의 별들은 움직인다. 사람들이 밤하늘을 관찰해 얻은 이 명제에서는 움직이는 것과 정지해 있는 것이 바뀌지 않는다. 그러나 갈릴레오는 관점에 따라 이들이 뒤바뀔 수 있다고 생각했다.

갈릴레오는 운동과 정지에 대한 새로운 설명 방식을 도입했다. 코페르니쿠스 우주 체계가 낳았던 여러 의문들 가운데서도 중요한 질문이 있다. 바로 '지구가 자전과 공전을 한다면 왜 사람들이 그것을 느끼지 못하는가?'이다. 갈릴레오는 여기에 대한 해답을 내놓았다. 어떤 사람이 물체와 함께 등속 운동을 하고 있으면 그 물체의 운동을 느끼지 못한다고 설명한 것이다. 이 설명을 받아들이면 물체의 운동과 정지를 본질적으로 구분하기가 불가능해진다.

갈릴레오는 운동은 두 물체 사이의 관계 문제이며, 운동과 정지는 서로 상대적으로 결정된다는 이론을 펼쳤다. 이를 '갈릴레오의 상대성 개념'이라고 한다.

갈릴레오의 이론에 따르면 운동이란 운동을 하지 않는 물체와 비교해 상대적으로 나타난다. 예를 들어, 기차가 계속 같은 속도로 움직인다면 기차에 타고 있는 사람들은 기차의 움직임을 느끼지 못한다. 대신 창문 바깥의 풍경이 뒤로 움직이는 것처럼 보일 것이다. 기차 안 사람들의 입장에서 기차는 정지해 있고 바깥 풍경은 운동한다. 기차 밖에서 보면 기차가 움직이고 있는데도 정반대로 관찰되는 것이다.

운동의 상대성 개념은 코페르니쿠스 체계를 지지하는 데 핵심적인 역할을 했다. 지구가 정지해 있는 것처럼 보이지만 사실은 사람이 자전하는 지구와 함께 운동하기 때문에 움직임을 느끼지 못할 뿐이라는 설명이 가능해지니까 말이다. 또 상대성 개념을 받아들이면, 실제로는 별들이 멈춰 있고 지구가 자전과 공전 운동을 하는 데도 그와 반대로 별들이 움직이는 것처럼 보이는 현상도 설명할 수 있게 된다.

한편, 갈릴레오는 운동의 합성과 분해를 생각해 내 운동 연구의 새로운 길을 열었다. 갈릴레오는 자유 낙하 운동 실험을 했던 경사면을 탁자 위에 올려놓고 경사면을 내려간 쇠공이 수평 방향으로 날아가도록 장치했다. 공의 수평 방향 속력과 수직 방향 속력을 바꾸어 가며 여러 번 실험을 한 결과, 수평으로 날아간 물체가 포물선을 그리며 떨어진다는 사실을 알아냈다. 수평 방향의 등속 운동과 수직 방향의 자유 낙하 운동이 함께 작용해서 투사체의 궤도가 만들어지는 것이다. 갈릴레오는 이 실험 과정이 세밀하게 담긴 노트를 남기기도 했다.

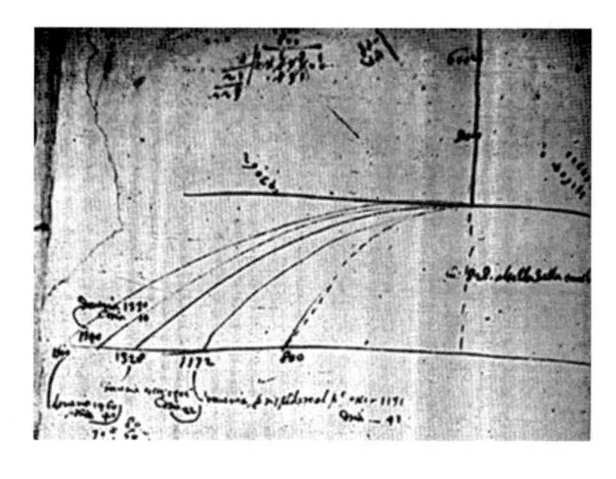

갈릴레오의 포물선 운동 실험 노트
갈릴레오는 포물선 운동을 수직 운동과 수평 운동의 합으로 보고 운동의 합성과 분해라는 개념을 만들었다.

아리스토텔레스는 투사체의 포물선 운동을 설명하지 못했다. 하지만 갈릴레오는 포물선 운동이 수직 방향 운동과 수평 방향 운동의 합임을 알아냄으로써 여러 운동이 한 물체에 동시에 일어날 수 있음을 보여 주었다. 나아가 복잡한 운동을 이미 알고 있는 운동으로 분해해서 다룰 수 있다는 것도 보일 수 있었다. 이를 통해 갈릴레오는 자연스러운 운동과 강제된 운동을 엄밀히 구분할 수가 없음을 증명했다.

관성과 운동의 상대성, 운동의 합성은 운동을 분석하는 기초적인 방식이다. 갈릴레오가 정립한 운동 개념들은 역학을 뛰어넘어 태양 중심의 우주 체계를 증명하는 데도 중요한 역할을 했다.

갈릴레오의 운동 개념

관성 : 물체가 자신의 운동 상태를 계속 유지하려고 함

운동의 상대성 : 운동 = 물체들 사이의 관계로 결정됨

운동의 합성 : 수직 운동 + 수평 운동 = 포물선 운동

갈릴레오의 집 **갈릴레오가 말년을 보낸 아르체트리에 있는 가옥이다.**

갈릴레오, 근대역학을 시작한 사람

갈릴레오는 자신의 책《새로운 두 과학》을 읽을 수가 없었다고 한다. 눈이 완전히 안 보이게 되었기 때문이다. 대신에 갈릴레오의 제자가 곁에서 편지를 읽고 글을 써 주었다. 1642년 1월 8일은 갈릴레오의 생애 마지막 날이었다. 갈릴레오에게는 장례식과 비석도 허락되지 않았다. 명성에 비하면 너무나도 쓸쓸한 죽음이었다.

오늘날의 관점에서 보면 갈릴레오의 역학에도 한계는 많다. 갈릴레오의 관성 개념은 오늘날과 달리 등속 원운동 개념이었다. 원운동은 방향이 계속 바뀌는 운동이다. 방향이 바뀐다는 것은 외부로부터 힘이 가해진다는 것을 의미하므로, 엄밀하게 말하면 관성이라고 할 수 없다.

또한 갈릴레오는 물체가 낙하하는 이유도 물체 자체의 속성으로 설명을 하려고 했다. 밀물과 썰물도 지구의 자전과 공전으로 생기는 육지와 바다의 속도 차이로 이해했다. 관성과 낙하에 대한 갈릴레오의 설명은 모두 오늘날의 설명 방식과 매우 다르다.

그럼에도 불구하고 갈릴레오 역학은 근대역학의 탄생에 큰 공헌을 했다. 진공이라는 이상적인 조건을 상정해 자유 낙하 법칙을 확립했고, 수학을 이용해 운동을 분석했으며, 운동과 정지의 절대적 구분을 타파하고 상대성 개념을 도입했다. 또한 운동을 합성하거나 분해하는 방법을 알아내기도 했다.

갈릴레오가 정립한 이러한 운동 개념들은 근대역학의 기본이 되었다. 따라서 대다수의 과학사학자들은 갈릴레오를 근대역학을 시작한 사람이라고 평가한다.

또 다른 이야기 | 갈릴레오, 자신의 신념을 굽히지 않다

1633년 6월 갈릴레오 갈릴레이는 7명의 재판관들 앞에 무릎을 꿇고 참회성사를 읽었다. 갈릴레오가 종교 재판을 받게 된 결정적 계기는 그가 1632년에 쓴 《세계의 두 체계에 관한 대화》였다. 이 책을 쓰기 전에 갈릴레오는 교황 우르바누스 8세에게 코페르니쿠스의 우주 체계와 아리스토텔레스-프톨레마이오스의 우주 체계를 비교하는 글을 써도 좋다고 허락을 받았다. 단, 지구가 태양 주위를 움직인다는 서술을 하지 않는다는 조건이 있었다. 하지만 출판된 책은 코페르니쿠스의 우주 체계를 옹호하고 있었다.

하지만 종교 재판에서 문제 삼았던 것은 갈릴레오의 책 내용 자체가 아니었다. 1616년에 종교 재판소는 갈릴레오에게 코페르니쿠스 체계를 지지하는 말을 하지도 말고 책도 쓰지 말라고 경고했던 적이 있었다. 종교 재판소는 갈릴레오가 바로 이 명령을 어겼는지를 문제 삼았다. 갈릴레오는 자신의 죄를 인정했다.

갈릴레오가 참회성사를 읽고 재판정을 나오면서 "그래도 지구는 돈다."라고 중얼거렸다는 일화는 유명하다. 이 이야기의 진위는 알 수 없지만 갈릴레오가 소장했던 《세계의 두 체계에 관한 대화》의 구석에 써 놓은 글에서 그의 진심을 엿볼 수는 있다. 비록 종교 재판에서는 신념을 부정했지만, 실제로는 굽히지 않았던 것이다.

> 신학자들이여, 이것을 보라. 해는 움직이지 않고 지구가 돈다는 사실이 증명될 날이 언젠가는 올 것이다. 그날이 오면 당신들은 지구가 움직이지 않고 해가 돈다고 주장하는 사람들을 이단자라고 몰아세워야 할 것이다.
>
> –갈릴레오 갈릴레이(제임스 맥라클란, 《물리학의 탄생과 갈릴레오》, 165~169쪽)

정리해 보자 | 근대역학 개념의 확립

1543년에 코페르니쿠스가 《천구의 회전에 관하여》를 출판하면서 과학 혁명이 시작되었다. 그 이전까지 지구 중심의 우주 체계를 받아들였던 사람들은 코페르니쿠스가 제시한 새로운 우주 체계에 대해 여러 가지 질문을 던졌다. 갈릴레오는 새로운 역학적 해법을 통해 코페르니쿠스의 우주 체계를 지지했다. 갈릴레오는 조석 현상, 물체의 운동 등을 모두 지구의 자전과 공전 운동의 결과로 설명했다.

한편 갈릴레오는 운동과 정지는 상대적이기 때문에 겉으로 보이는 현상만으로 지구가 멈춰 있다고 결론지을 수는 없다고 주장했다. 그는 등속 운동을 하는 지구 위에서 지구와 함께 움직이고 있는 사람들은 지구의 움직임을 느끼지 못할 것이라고 믿었다. 또한 갈릴레오는 운동과 정지가 모두 하나의 상태라고 주장하며 외부에서 힘을 받지 않는 물체는 자신의 운동 상태를 그대로 유지한다는 관성 개념을 도입했다. 갈릴레오는 수평 방향 운동과 수직 방향 운동의 합성으로 포물선 운동을 설명함으로써 자연스러운 운동과 강제된 운동의 구분을 없애기도 했다.

주제	아리스토텔레스	갈릴레오
운동과 정지	절대적으로 구분됨	상대적으로 결정됨
수평 방향 운동	반드시 외부 힘이 필요	외부로부터 힘을 받지 않는 한 운동 상태를 그대로 유지함
포물선 운동	강제된 운동과 자연스러운 운동으로는 설명할 수 없음	수평 방향 운동(관성)과 수직 방향 운동(자유 낙하)의 합

Chapter 3

뉴턴, 달과 사과를 잡아당기는 힘을 밝히다

중력과 과학 혁명의 완성

진리는 복잡하고 혼란스러운 곳이 아닌, 단순한 곳에서 찾을 수 있다.

– 아이작 뉴턴 –

흔히들 근대역학은 영국의 아이작 뉴턴(Isaac Newton, 1643~1727)이 정립했다고 말한다. 1687년에 출판된 뉴턴의《프린키피아》는 오늘날까지도 과학사에서 가장 중요한 책으로 평가받는다.《프린키피아》에서 뉴턴은 근대역학의 중요한 개념들을 정리했고, 3가지 운동 법칙을 이용해 보편 중력의 법칙을 증명했으며, 이를 바탕으로 여러 자연 현상들을 설명했다. 뉴턴은 갈릴레오가 시작한 역학 연구의 성과를 하나의 통일적 체계로 설명해 냈다.

뉴턴은《프린키피아》의 서문에서 자신의 목표는 수학을 이용해 자연 현상을 밝혀내는 것이라고 밝혔다. 그렇기 때문에《프린키피아》는 거의 수학책처럼 보인다. 또한 난해하기도 해서《프린키피아》가 처음 출판되었을 때 내용을 이해했던 사람은 많지 않았다고 한다. 그럼에도 당시 많은 사람들은 이 책이 굉장히 중요하다는 점만은 알았다.

16세기부터 17세기까지에 유럽에서 일어난 근대 과학의 탄생 과정을 과학 혁명이라고 부른다. 과학 혁명은 일반적으로 코페르니쿠스가 시작해 뉴턴이 마무리했다고 여겨진다. 뉴턴 역학은 18세기에는 계몽주의와 결합하면서 유럽으로 확산되었고, 19세기 말까지 핵심적인 역학 이론으로 자리 잡고 있었다. 뉴턴은 오늘날까지도 인류 역사상 가장 위대한 과학자로 평가받는다.

뉴턴, 다양한 학문을 연구하며 세상의 진리를 탐구하다

뉴턴은 당시에 사용하던 율리우스력으로 1642년 12월 25일, 오늘날 사용하는 그레고리력으로 1643년 1월 4일에 영국 링컨셔 지역의 울즈소프에서 지주의 유복자로 태어났다. 뉴턴의 어머니는 뉴턴이 3살 되던 해에 재혼을 해서 그의 곁을 떠나고, 할머니가 어리고 병약한 뉴턴을 길렀다. 그는 호기심이 상당히 많은 한편 성질이 급했다고 한다. 뉴턴은 그림을 그리거나, 해시계를 조각하거나, 진기한 장치를 만드는 것을 좋아했다.

뉴턴의 어머니는 뉴턴이 지주로서의 역할에 충실하기를 바랐지만, 그는 외삼촌의 도움으로 1661년에 케임브리지 대학교의 트리니티 칼리지에 입학했다. 뉴턴은 하루 18시간을 공부에 바치며 당대의 최신 학문들을 독학했다. 그는 코페르니쿠스의 천문학, 케플러의 천문학과 광학, 갈릴레오의 역학, 데카르트의 기하학과 기계적 철학, 피에르 가상디의 원자론, 로버트 보일의 실험 철학 등 과학 혁명의 근간이 되는 사상들을 접했다.

다양한 학문을 공부하던 뉴턴은 당시 연금술사와 마술사가 주로 믿은 헤르메스주의도 알게 되었다. 뉴턴이 이 시기에 공부한 학문들은 이후 뉴턴의 연구에 큰 영향을 끼쳤는데, 이는 헤르메스주의도 마찬가지였다. 과학사학자들은 뉴턴이 헤르메스주의 같은 신비주의 사상을 알고 있었기 때문에 서로 떨어진 물체 사이에 힘이 작용한다는, 당시로서는 상당히 초자연적이었던 발상을 할 수 있었던 것이라고 추측하기도 한다.

1665년 런던에서는 흑사병이 유행했다. 대학교가 일시적으로 문을 닫자 뉴턴은 고향으로 돌아갔다. 고향 마을에 머무른 2년 동안 뉴턴은 빛과 행성 궤도를 연구하고 미분법도 고안해 냈다. 그가 이 같은 눈부신 지적

아이작 뉴턴 뉴턴은 중력 개념과 물체의 운동 법칙을 정립해 근대역학의 기초를 세웠다.

성과를 이루었기에 1665년과 1666년을 기적의 해라고 부른다.

뉴턴의 사과나무 전설도 이 시기를 배경으로 한다. 뉴턴은 사과나무 아래 앉아 쉬고 있었다. 그런 그의 앞에 사과가 떨어졌고, 그 순간 뉴턴의 머릿속에는 지구가 사과를 당기는 것과 똑같은 힘이 달에도 작용할 것이라는 생각이 떠올랐다고 한다. 이 이야기는 출처가 불분명해 실제 있었던 일이라고 믿는 과학사학자들은 많지 않다.

대학이 다시 문을 열자 뉴턴은 연구원으로 케임브리지에 돌아갔다. 그는 이후에 반사 망원경을 제작해 과학계에 이름을 알렸고, 1669년에는 루커스 수학 석좌 교수 자리까지 올랐다. 루커스 수학 석좌 교수는 1663년부터 케임브리지 대학교에서 수학에 큰 공헌을 한 교수에게 주던 자리로, 오늘날까지도 남아 있다.

1672년부터 뉴턴은 빛에 대한 연구를 담은 광학 논문들을 영국 왕립 학회의 회보였던 《철학회보》에 발표하기 시작했다. 뉴턴은 빛과 색깔에 관한 논문에서 백색광은 여러 가지 색의 단색광이 모여서 형성되며 그 백색

뉴턴 생가의 사과나무 뉴턴의 사과나무 전설의 모태가 된 장소이다.

광은 입자로 이루어져 있다는 대담한 주장을 했다. 당시에는 백색광이 변형되어 여러 가지 색이 나타난다는 믿음이 보편적이었기 때문에 뉴턴의 주장은 매우 놀라운 것이었다.

하지만 당시 영국 왕립 학회에서 논문 심사를 맡고 있었던 로버트 훅(Robert Hooke, 1635~1703)은 뉴턴과 다른 주장을 펼쳤다. 훅은 뉴턴과 달리 빛이 파동이라고 믿었다. 훅은 뉴턴의 실험 방법과 결론이 잘못되었다고 비판했고, 두 사람은 몇 년에 걸쳐 격렬한 논쟁을 벌이고는 평생에 걸쳐 악연을 이어 나갔다. 뉴턴은 빛과 색을 다룬 《광학》을 훅이 죽은 다음 해에 출판할 정도로 훅을 싫어했다.

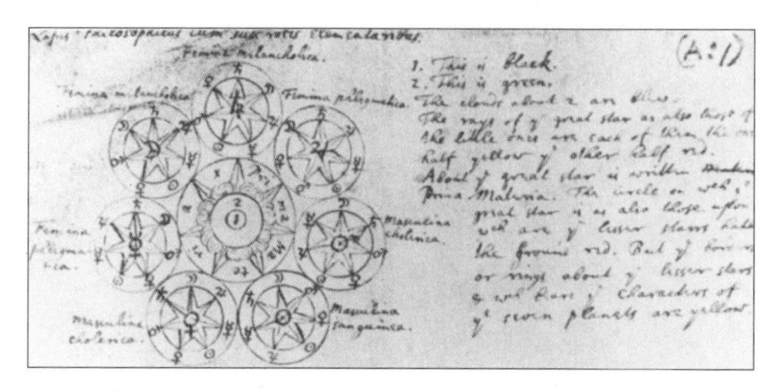

뉴턴의 연금술 연구 노트 **뉴턴이 연금술사들이 찾으려 한 신비의 물질인 현자의 돌을 설명해 둔 부분이다.**

뉴턴이 역학과 수학 연구에만 매진한 것은 아니었다. 뉴턴은 30대 중반부터 40대 중반까지는 연금술이나 성서를 더 열심히 파고들었다. 뉴턴은 케임브리지 대학교에 있던 자신의 개인 실험실에서 연금술 연구를 진행했다. 그는 화로와 각종 약품을 사들였고 고대의 연금술 문헌들에 깊이 빠져들었다. 뉴턴은 고대의 연금술 문헌에 쓰인 실험 절차를 재연함으로써 고대 철학자들의 지식을 복원하고, 세계의 본성을 이해하고자 했다.

성서도 깊이 연구했던 뉴턴은 기독교의 핵심 개념인 삼위일체설을 부정했다. 삼위일체설을 중요하게 여겼던 당시로서는 이단이었던 셈이다. 뉴턴은 고대인들이 우주의 수학적 구조에 관한 진실을 이미 알고 있었으나 초기 기독교의 성직자들이 고의로 이를 감추었다고 믿었다. 그래서 성서를 연구해 성서의 본래 의미를 복원하고 고대인들의 지혜를 되찾으려고 했던 것이다.

뉴턴이 연금술과 성서 연구에 매진했다는 것이 처음 알려졌을 때 많은 과학사학자들은 당혹해했다. 과학 혁명을 완성하고 근대 과학을 이끌어

냈던 뉴턴이 비이성적인 연금술과 성서 연구에 오랫동안 빠져 있었다는 사실을 받아들이기 쉽지 않았기 때문이다. 하지만 뉴턴은 실험과 재연이라는 근대 과학의 요소를 이용해 연금술을 연구했다. 뉴턴의 성서 연구 또한 그가 다른 분야의 과학을 연구할 때와 같은 목적과 방법으로 이루어졌다는 점이 밝혀졌다. 그래서 오늘날에는 뉴턴의 연금술과 성서 연구를 긍정적으로 평가하기도 한다.

과학사 사상 최고의 걸작 《프린키피아》의 탄생

연금술과 성서 연구에 매진하고 있던 뉴턴이 《프린키피아》라는 걸작을 쓰게 된 동기는 에드먼드 핼리(Edmond Halley, 1656~1742)와 관련이 있다. 핼리는 76년마다 찾아오는 것으로 유명한 핼리 혜성을 발견한 영국의 천문학자이다.

1684년, 뉴턴이 40대였을 때의 일이다. 어느 날 핼리가 뉴턴을 찾아와 뉴턴에게 질문을 던졌다. '태양이 행성 등의 물체에 거리의 제곱에 반비례하는 힘을 준다면 그 물체는 어떻게 움직이겠는가?'라는 질문이었다.

이 질문은 독일의 천문학자인 요하네스 케플러(Johannes Kepler, 1571~1630)가 정립한 법칙과 관련이 있다. 케플러는 행성의 운동을 연구하여 '케플러의 법칙'이라고 불리는 행성 운동 법칙을 만들었다. 바로 행성의 공전 궤도를 다루는 법칙이었다. 하지만 케플러는 법칙은 만들었지만 그 법칙이 성립하는 원인은 충분히 설명하지 못했다. 핼리는 당시에 케플러의 법칙을 연구하며 원인을 찾고 있었던 것이다.

케플러의 법칙

제1법칙 : 태양을 공전하는 행성의 궤도 = 타원

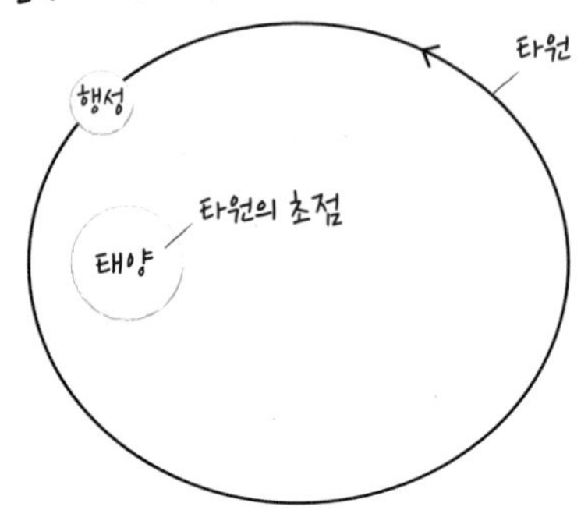

제2법칙 : 태양과 행성이 그리는 부채꼴: 같은 시간 → 같은 넓이

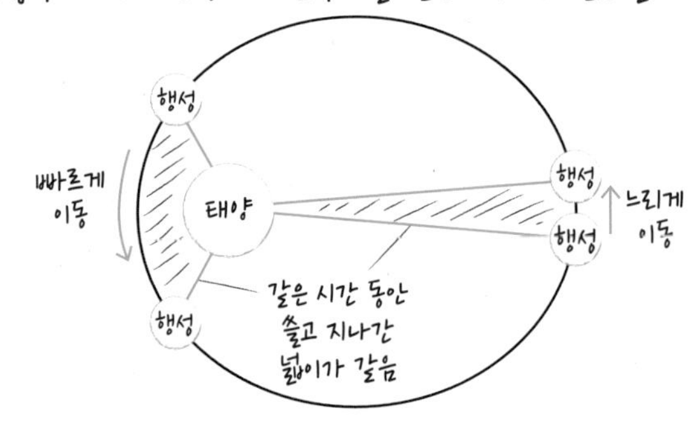

제3법칙 : (행성의 공전 주기)^{2}와 (가장 긴 공전 궤도의 반지름)^{3}은 비례

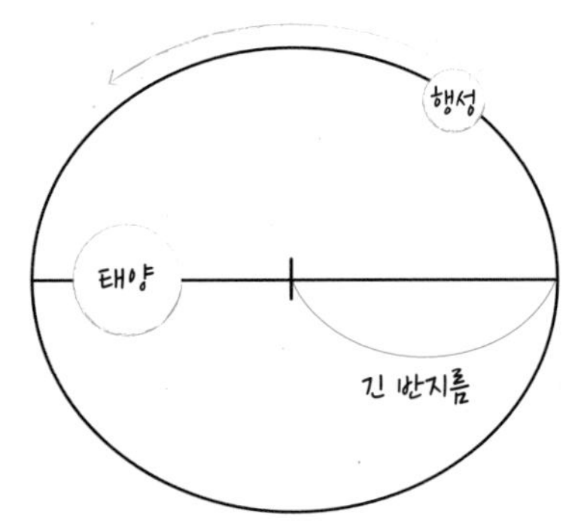

핼리의 질문을 받은 뉴턴은 행성이 타원 궤도를 그릴 것이며, 자신이 이미 계산을 해 보았다고 답했다. 뉴턴은 그때 계산한 종이를 찾을 수 없어 나중에 핼리에게 다시 계산해서 보여 주기로 했다. 얼마 뒤 핼리는 행성의 궤도에 관한 역제곱 법칙을 증명하는 뉴턴의 편지를 받았다.

뉴턴은 계산식을 완성한 것에 머무르지 않고 약 18개월 동안 먹지도 자지도 않으면서 우주와 물체의 운동에 관한 법칙들을 정리해 책으로 엮었다. 물론 케플러의 법칙에 대한 증명도 함께 실었다. 이 책이 바로 과학사에서 최고의 걸작으로 일컬어지는《프린키피아》이다.

《프린키피아》초판 서문에서 뉴턴은 핼리가 자신의 오류를 바로잡고 기하학 도형을 준비하는 것을 도와주었을 뿐만 아니라, 출판을 간청했다고 밝히고 있다. 핼리는 행성 궤도에 관한 뉴턴의 증명을 보고 나서 뉴턴에게 증명 결과를 영국 왕립 학회에 발표하도록 권했다. 영국 왕립 학회는 뉴턴에게 그의 이론을 출판할 것을 권유했고 뉴턴은 이에 못 이겨 책을 출판하게 된 것이다.

《프린키피아》의 원래 제목은《자연철학의 수학적 원리(Philosophiae Naturalis Principia Mathematica)》이다. 제목이 길기 때문에 보통 줄여서《프린키피아》라고 부른다. 모두 3권으로 되어 있으며, 라틴어로 쓰였다. 당시에는 모국어가 아닌 라틴어로 글을 쓰는 것이 더 일반적이었다. 1687년에 초판이 나왔고, 이후 1713년, 1726년에 개정판이 출판되었다.

뉴턴은 자연철학이란 운동 현상으로부터 자연의 힘을 연구하고, 그 연구 결과를 통해 또 다른 현상을 증명하는 학문이라고 했다. 그리고 자신은 수학으로 자연철학을 연구하겠다고 덧붙였다. 이를 보여주듯 뉴턴은《프

《프린키피아》 초판본 《프린키피아》에 실린 뉴턴의 운동 법칙은 이후 역학의 발전에 지대한 영향을 미쳤다.

린키피아》에서 근대역학의 뿌리가 되는 운동 법칙과 보편 중력의 법칙을 정리하고, 이 법칙들이 어떤 현상에 적용되는지를 수학적으로 설명했다. 이 책에서 뉴턴은 코페르니쿠스로부터 시작된 새로운 우주 체계와 갈릴레오로부터 시작된 근대역학을 완성했다.

운동을 정의하고 증명하다

뉴턴의 《프린키피아》는 운동과 힘에 관한 개념을 정의하는 것으로 시작한다. 운동과 힘이 무엇인지에 대한 정의, 운동의 3가지 법칙, 평행사변형을 이용한 힘의 합성과 분해, 관성계에서의 물체의 상대적 운동과 같은 기본 운동 법칙들이 책의 첫머리에 담겨 있다. 운동과 힘에 대한 뉴턴의 정의는 다음과 같다.

운동에 대한 뉴턴의 정의

1. 물체의 질량 = 밀도 × 부피
2. 운동량 = 속도 × 물체의 질량
3. 관성 : 물체 고유의 저항하는 힘. 현재 상태를 유지하려고 함
4. 가하는 힘 : 물체의 운동 상태를 바꾸기 위한 힘
5. 구심력 : 물체가 어떤 중심점을 향해서 움직이도록 끌거나 몰아내는 힘

뉴턴은 이 중에서 구심력 설명에 가장 많은 지면을 할애했다. 뉴턴은 행성이 직선 운동을 하지 못하도록 만드는 힘을 구심력이라고 정의했고, 그 예로 물체가 지구 중심을 향해 움직이는 중력을 들었다. 만약 구심력이 없다면 행성들은 관성에 의해 직선 운동을 계속할 것이지만, 구심력 때문에 직선 궤도에서 벗어나 곡선 궤도를 따라서 태양 주위를 돌게 된다는 것이 뉴턴의 생각이었다.

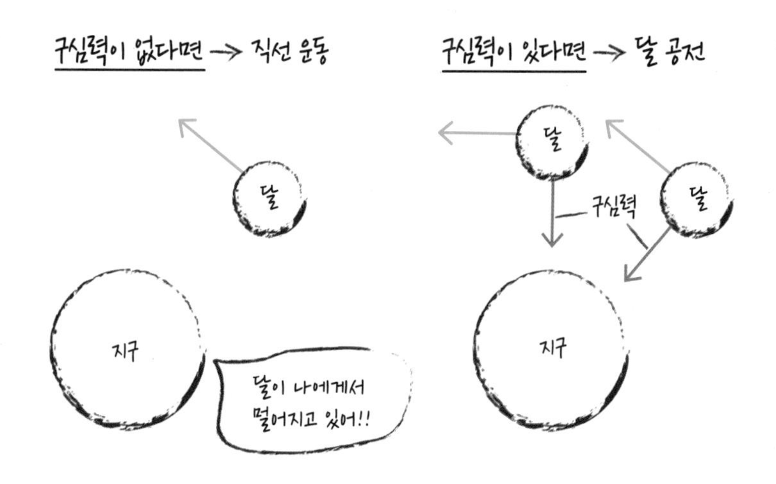

다음으로 뉴턴은 3가지 운동 법칙을 정리했다. 첫째는 '관성의 법칙'이다. 물체에 힘을 가해서 그 상태를 바꾸지 않는 한, 모든 물체는 가만히 있든, 일정한 속도로 직선 운동을 하든, 계속 그 상태를 유지하려고 한다. 둘째는 오늘날 '힘은 질량과 가속도를 곱한 값이다.'로 알려져 있는 '가속도의 법칙'이다. 운동의 변화 정도는 물체에 가한 힘에 비례하고, 운동이 변하는 방향은 힘을 가한 방향과 같다. 셋째는 '작용-반작용의 법칙'이다. 물체에 힘을 가하면 언제나 그것과 크기가 같은 힘이 반대 방향으로도 작용한다.

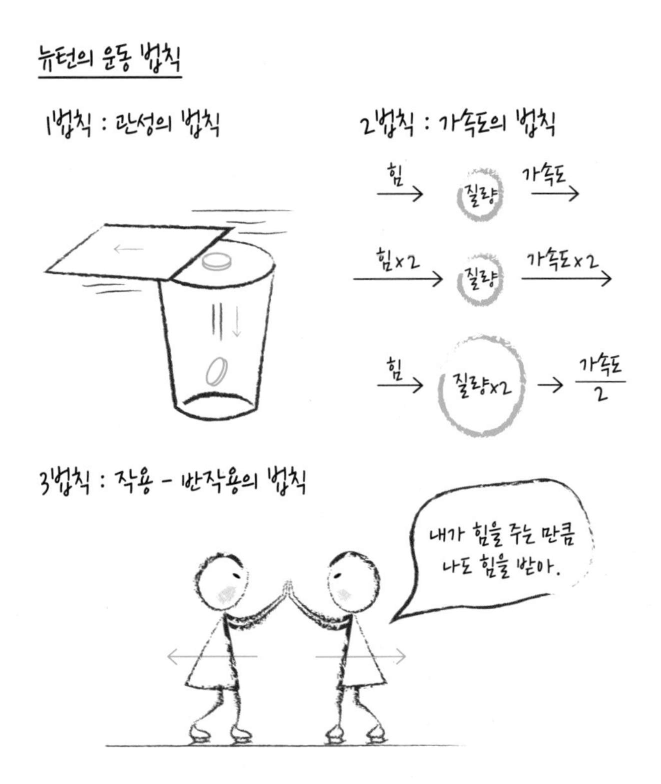

《프린키피아》는 뉴턴이 힘과 운동에 대한 문제를 내고 그에 대한 답을 풀어 가거나, 명제들을 증명하는 방식으로 구성되었다. 예를 들어 뉴턴은 "어떤 물체가 포물선을 따라 움직이는데 포물선의 초점을 향해 구심력이 작용한다면, 구심력의 크기는 얼마가 될 것인가?"와 같은 문제를 던진 다음, 힘과 운동에 관한 기본 정의와 3가지 운동 법칙을 바탕으로 이 문제에 대한 답을 제시했다.

뉴턴의 증명들 중 하나인 "힘의 중점이 고정되어 있고, 어떤 물체가 그 힘의 중점으로 끌리면서 움직인다고 가정한다. 이때 반지름이 그리는 도형은 같은 평면에 놓여 있고, 넓이는 시간에 비례한다."를 살펴보자. 케플러의 제2법칙에 의하면 행성은 태양과 가까워질수록 이동 속도가 빨라지고, 태양과 멀어질수록 이동 속도가 느려진다. 뉴턴은 행성의 궤도를 일정한 시간 간격으로 쪼갠 다음, 이때 만들어지는 삼각형들의 면적이 모두 같음을 기하학적으로 증명함으로써 케플러의 제2법칙이 옳음을 보여주었다.

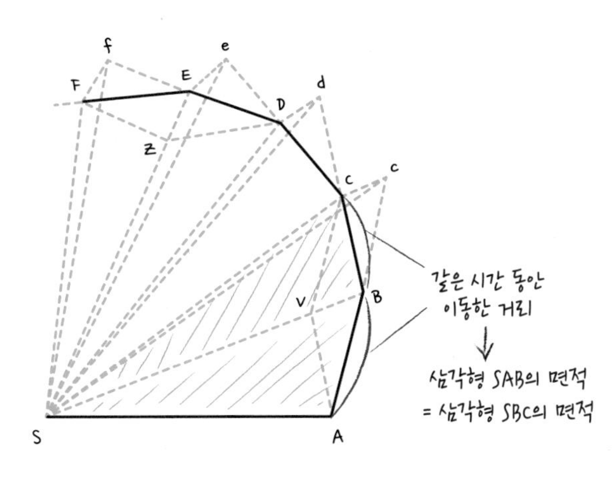

뉴턴은 케플러의 법칙을 증명하면서, 어떤 천체가 타원 궤도를 따라 태양 주위를 공전할 때 작용하는 구심력(중력)의 크기는 태양과 행성 사이의 거리의 제곱에 반비례한다는 것을 보여주었다. 이는 왜 행성들의 공전 속도가 불규칙할 수밖에 없는지를 잘 설명해 주었다. 뉴턴에 의하면, 타원 궤도를 공전하는 행성과 태양 사이의 거리가 가까워지면 중력이 커져 행성의 공전 속도가 빨라지고, 반대로 행성과 태양 사이의 거리가 멀어지면 행성의 공전 속도는 느려진다고 할 수 있다.

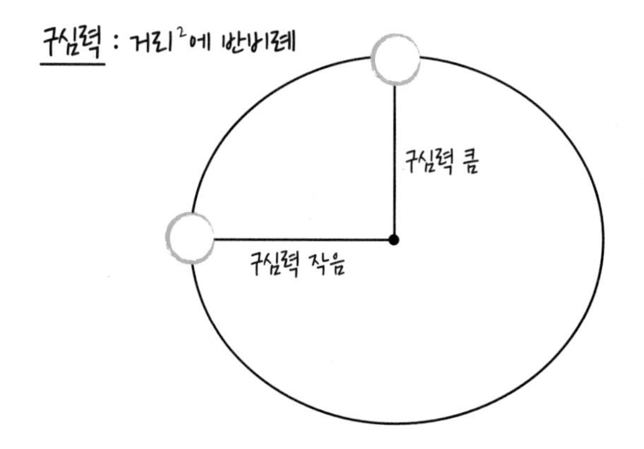

중력, 모든 운동을 설명하는 힘

뉴턴은《프린키피아》2권에서 저항이 있는 각종 매질에서의 물체의 운동을 검토했고, 이어 3권에서는 먼저 케플러의 법칙을 증명했다. 이후 중력을 이용해 밀물과 썰물의 운동, 혜성의 운동 등 여러 현상을 설명해 나갔으며, 달이 지구 주위를 돌게 하는 힘이 구심력인 중력이라는 사실도 강조했다. 뉴턴은 우주에서 나타나는 현상과 바다에서 나타나는 현상을 중력이라는 하나의 힘으로 설명하는 데 성공했던 것이다.

중력을 이용해 천상계의 운동과 지상계의 운동을 설명한 뉴턴은 생각을 더 대담하게 확장시켜 중력 개념을 우주의 모든 물체에 적용시켰다. 질량을 가진 모든 물체 사이에는 서로 끌어당기는 힘이 작용할 것이라는 이 생각은 오늘날 만유인력의 법칙 혹은 '보편 중력의 법칙'으로 불린다.

보편 중력의 법칙에 따르면 두 물체 사이에서는 언제나 중력이 작용하고 있다. 이때 작용하는 중력의 크기는 두 물체의 질량의 곱에 비례하고, 거리의 제곱에 반비례한다. 중력의 세기를 나타내는 일정한 수치인 중력 상수와, 물체 사이의 거리, 물체들의 질량만 안다면 중력의 세기를 구할 수 있다. 뉴턴은 사과나 대포알을 아래로 떨어뜨리는 힘, 달이 지구 주위를 돌게 하는 힘, 행성이 태양 주위를 돌게 하는 힘을 모두 보편 중력의 법칙을 이용해 수학적으로 나타냈다.

보편 중력의 법칙

$$\text{두 물체의 중력} = \text{중력 상수} \times \frac{\text{두 물체의 질량의 곱}}{\text{두 물체 사이의 거리}^2}$$

뉴턴은 중력과 공전의 관계를 설명하기 위해 《프린키피아》 3권에서 아주 유명한 사고 실험을 고안한다. 만약 산꼭대기에서 대포알을 쏜다면 대포알은 어느 정도 날아가다가 중력 때문에 땅에 떨어질 것이다. 대포알의 속도를 빠르게 하면 대포알은 더 먼 거리를 날아간 다음에 땅에 떨어질 것이다. 속도가 빨라질수록 대포알은 더욱더 먼 거리를 날아간다.

뉴턴은 만약 대포알의 속도가 충분히 빨라 날아가는 길이가 지구 둘레

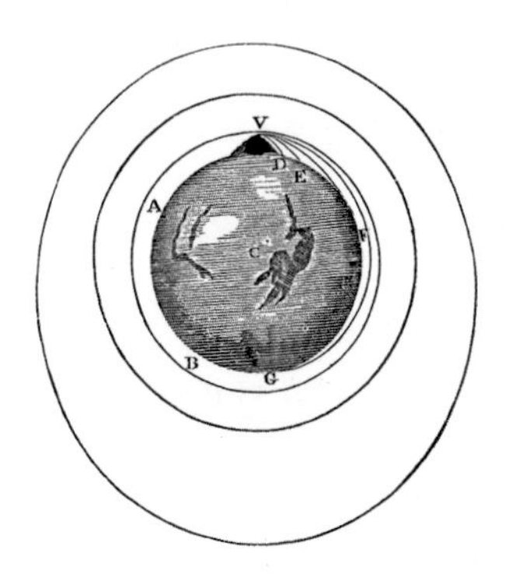

대포알의 궤도를 설명한 《프린키피아》의 삽화 **뉴턴은 속도가 충분히 빠르다면 대포알이 땅에 떨어지지 않고 궤도 운동을 할 것이라고 생각했다.**

보다 길어진다면, 대포알은 떨어지지 않고 영원히 지구 주위를 따라 돌 것이라고 생각했다. 뉴턴은 허공으로 쏜 대포알이 지구의 중력 때문에 궤도를 따라 돌 수 있는 것처럼, 달도 중력을 받아 지구 주위를 돌 것이라고 추측했다. 그는 이 논리를 확장시켜 행성들이 태양을 도는 현상도 같은 방식으로 설명했다.

자연 철학자들은 오랜 시간 동안 아리스토텔레스의 우주관을 따라 천상계와 지상계가 서로 다른 운동 법칙의 지배를 받는다고 믿었다. 이들의 생각에 따르면, 지상계는 변화와 생성이 있는 세계이고 천상계는 변화가 없는 완벽한 세계였다. 또한 자연스러운 운동과 강제된 운동을 하는 지상계와는 달리, 천상계에는 완벽한 등속 원운동만이 존재했다. 자유 낙하 법칙을 정리한 갈릴레오조차도 천상계의 운동과 지상계의 운동은 다르다고 생각했다.

뉴턴은 《프린키피아》에서 관성과 구심력을 결합하여 행성들이 왜 태양을 중심으로 궤도 운동을 하는지 설명함으로써 아리스토텔레스의 운동 이론을 깨 버릴 수 있었다. 앞서 설명했듯이 만약 구심력이 없다면 행성들은 관성에 의해 직선으로 멀리 날아가 버릴 것이다. 하지만 중력 때문에 행성들은 태양 쪽으로 계속 끌어 당겨져서 궤도 운동을 할 수 있게 된다. 이는 행성들의 궤도 운동이 일어나기 위해서는 끊임없이 힘이 작용해야 하며, 천체의 원운동이 자연스러운 운동이 아니라는 것을 의미했다. 뉴턴은 등속 원운동은 구심력이라는 힘이 끊임없이 작용하는 강제된 운동이라고 설명함으로써 아리스토텔레스의 운동 이론이 틀렸음을 보여주었다.

또 뉴턴은 사과가 아래로 떨어지는 지상계의 운동이나 달이 지구 주위를 공전하는 천상계의 운동을 일으키는 힘이 본질적으로 같은 힘, 즉 중력이라는 것을 보여주었다. 그리고 케플러의 제3법칙을 이용해 중력 때문에 속도가 증가하는 정도, 즉 중력 가속도의 값이 9.8m/s라는 것도 밝혀냈다. 뉴턴은 중력이라는 단일한 힘을 이용해 천상계와 지상계의 현상들을 모두 설명함으로써 2,000년간 유지되던 천상계와 지상계의 구분을 완전히 깨 버렸다.

당시에는 보편 중력의 법칙에 의심의 눈길을 보내는 사람도 있었다. 하지만 뉴턴은 자신은 중력의 원인에 대해 어떠한 가설도 세우지 않을 것이며, 중력에 따라 천체들의 모든 움직임과 바닷물의 움직임을 잘 설명할 수 있는 것으로 충분하다고 반박했다.

지금까지 우주에서 나타나는 현상과 바다에서 생기는 현상을 중력으로 설명했다. 중력이 생기는 원인은 다루지 않았다. 그렇지만 그 힘이 어떤 원인에 의해 생김은 확실하다. (중략) 현상을 바탕으로는 중력의 원인을 발견할 수 없기 때문에 나는 아무런 가설도 세우지 않겠다. 현상을 바탕으로 이끌어 내지 않은 이론은 가설에 불과하기 때문이다. 가설은, 그것이 초물리학적이든 또는 물리학적이든, 그게 신비적이든 또는 역학적이든, 실험 과학에서 아무런 자리도 차지하지 못한다. (중략) 우리 입장에서 보면, 중력이 실제로 존재하고, 우리가 설명한 법칙들에 따라서 작용하며, 천체들의 모든 움직임과 바닷물의 움직임을 아주 잘 설명할 수 있으니, 그걸로 충분하다.

-아이작 뉴턴, 《프린키피아》(이무현 옮김, 197~198쪽)

뉴턴이 근대역학을 확립해 온 세상을 밝히다

뉴턴의 《프린키피아》는 대성공을 거두었다. 1704년에 뉴턴은 자신의 두 번째 걸작인 《광학》을 출간했다. 뉴턴은 《광학》의 끝부분에 질문을 몇 가지 덧붙였다. 이 질문들은 뉴턴 자신이 한때 관심을 가졌지만 여러 가지 이유로 심도 있게 고찰하지 못했던 문제들이다. 여기에는 다른 사람들이 이 문제들을 심오하게 연구해 주기를 바라는 마음이 담겼다.

《광학》의 초판에는 질문이 16개만 있었지만, 2판에서는 31개로 늘어났다. 그중에서 마지막 31번 질문이 가장 유명하다. 뉴턴은 이 31번 질문에서 모세관 현상, 전자기 현상, 응집 현상 등 자연의 여러 현상에 작용하는 힘이 있을 수 있으며, 자신이 보편 중력을 발견했듯이 후대 과학자들이 이 힘을 발견해 주기를 희망했다. 많은 학자들은 이 질문의 영향으로 이후 오랫동안 '화학적 친화력'을 밝히려 애썼다.

뉴턴은 말년에는 사회 활동에도 왕성하게 참여했다. 뉴턴은 국회 의원과 왕립 조폐국 이사, 영국 왕립 학회 회장 등을 역임했고, 기사 작위를 받

웨스트민스터 사원 런던의 웨스트민스터 사원은 영국의 왕실 행사가 열리는 예배당이다. 이곳에는 영국 왕족과 위인들이 안장되었는데, 뉴턴의 묘지도 다른 과학자들과 함께 마련되어 있다.

뉴턴 묘지 웨스트민스터 사원의 묘지에는 뉴턴을 기리는 비문과 기념 조각상이 있다. 비석에는 천체의 운동, 조석 현상, 빛에 대한 그의 업적이 라틴어로 쓰여 있다.

기도 했다. 뉴턴은 1727년 85살의 나이로 세상을 떠났다. 그의 유해는 런던에 있는 웨스트민스터 사원에 안장되었다. 당대 최고의 시인이었던 알렉산더 포프는 아래와 같은 글귀로 뉴턴의 업적을 기렸다.

> 자연과 자연의 법칙은 밤의 어둠 속에 잠겨 있었다.
> 신이 "뉴턴이여 있으라." 명하시자 온 세상이 밝아졌다.
>
> -알렉산더 포프

뉴턴은 운동 법칙과 보편 중력의 법칙을 기본으로 근대역학을 정립했다. 3대 기본 운동 법칙으로 모든 운동을 설명할 수 있었고, 모든 물체 사이에 일정한 법칙을 따르는 보편 중력의 법칙이 작용하는 것을 보였다. 이로써 아리스토텔레스적인 세계관을 타파하고 천상계의 운동과 지상계의 운동을 통합했다. 이런 뉴턴의 학문적 성과를 일컬어 뉴턴의 종합이라고 한다.

뉴턴이 근대역학의 완성이라는 성과를 거둘 수 있었던 데에는 자연이 수학적 법칙의 지배를 받는다고 생각했던 당시의 사회적 분위기도 중요한 영향을 끼쳤다. 고대 그리스의 피타고라스와 플라톤은 자연이 수학적 언어로 쓰였다고 믿었다. 과학 혁명 시기의 많은 과학자들은 자연과 수학에 대한 이 믿음을 공유했다. 갈릴레오나 케플러, 뉴턴 역시 자연이 수학적 법칙의 지배를 받는다고 생각했고, 수학이야말로 가장 확실한 지식의 형태라고 여겼다. 뉴턴이 관성과 구심력(중력)을 통해 행성의 타원 궤도, 혜성의 궤도 등을 성공적으로 증명할 수 있었던 바탕에는 이러한 믿음이 있었다.

오늘날 과학자들을 대상으로 역사적으로 가장 위대한 과학자가 누군지 조사하면 대부분이 뉴턴을 꼽는다. 그런데 뉴턴은 자신의 연구 성과에 대해 이런 유명한 말을 남겼다.

내가 더 멀리 보았다면 이는 거인들의 어깨 위에 올라서 있었기 때문이다.

-아이작 뉴턴

뉴턴의 업적은 그 혼자서 이루어 낸 것이 아니라, 선대학자들의 연구 결과가 있었기 때문에 가능했다는 의미이다. 뉴턴은 갈릴레오나 케플러와 같은 과학자들의 연구를 이어받아 이를 더욱 정교하게 다듬고 확장해 나갔던 것이다.

뉴턴이 아주 유명해졌을 때 누군가가 어떻게 보편 중력의 법칙을 발견했는지를 물었다. 그러자 뉴턴은 이렇게 대답했다고 한다.

"내내 그 생각만 했으니까."

뉴턴이 오늘날까지 가장 위대한 과학자로 남을 수 있었던 것은 선대 과학자들의 연구 성과와 뉴턴 자신의 학문적 끈기가 있었기 때문이다.

또 다른 이야기 | 뉴턴은 정말 사과를 보고 중력을 생각해 냈을까?

사과나무 이야기는 과학사를 통틀어 가장 유명한 일화이다. 1666년의 어느 날, 뉴턴은 사과나무 아래에서 '돌을 실에 매달아 돌리면 실 때문에 궤도를 벗어나지 않고 원운동을 한다. 그렇다면 달은 어떻게 원운동을 하면서 지구 주위를 돌 수 있을까?'라는 생각을 하고 있었다. 이때 그의 머리로 사과가 하나 떨어졌고, 바로 그 순간 뉴턴은 사과를 지구로 떨어뜨린 힘이 달을 지구 궤도에 붙들 것이라는 생각을 떠올린다. 뉴턴이 중력 개념을 떠올리게 된 계기가 우연히 떨어진 사과였다는 이야기이다.

대부분의 과학사학자들은 이 이야기를 믿지 않고, 때로는 오히려 우려를 표한다. 이런 일화는 과학적 발견이 우연으로 성취된다는 오해를 낳기 쉽기 때문이다. 게다가 뛰어난 천재들만이 순간적인 깨달음을 얻을 수 있다거나, 그런 천재들이 오랫동안 연구하고 노력하는 과학자보다 더 위대하다는 생각으로 이어질 수도 있다.

하지만 과학자의 창조성은 이런 우연과 천재성에서 나오지 않는다. 위대한 과학적 발견은 복잡한 과정을 거쳐 만들어지고, 그 뒤에는 늘 오랜 기간에 걸친 노력과 집념이 존재해 왔다.

뉴턴의 연구 노트는 방대한 양으로도 유명하다. 뉴턴의 연구 노트를 꼼꼼하게 따져 보면 그가 중력 개념을 정립하기 위해 얼마나 많은 노력을 했는지 알 수 있다. 뉴턴은 처음으로 물체가 서로 당기는 힘이 있다는 생각을 하고 나서 약 20년을 더 연구한 후에야 자신의 생각을 정리해 발표했다. 이처럼 위대한 발견들은 많은 노력의 결과로 얻어진다.

정리해 보자 | 중력 개념의 확립

중력은 떨어져 있는 물체가 서로 잡아당긴다는 개념이기도 하지만, 지상의 물체가 지속적으로 아래로 떨어진다는 의미를 내포하고 있기도 하다. 모든 물체는 외부로부터 힘을 받지 않으면 관성에 의해 등속 직선 운동을 계속 유지한다. 달도 마찬가지로 계속 앞으로 나아가는 등속 직선 운동을 하고자 한다. 하지만 지구가 달을 당기고 있기 때문에 달은 계속해서 지구 쪽으로 떨어져 내린다. 이는 자유 낙하 하는 사과가 지구 중심 쪽으로 떨어져 내리는 것과 같다.

뉴턴은 관성에 관한 갈릴레오의 생각, 케플러의 행성 운동 법칙 등을 종합하였다. 그리고 중력 개념을 도입해 지상과 천상의 운동 법칙을 통합했다. 지상계에서 운동하는 물체뿐만 아니라 달의 운동, 나아가 모든 행성의 운동에 중력이 적용될 수 있음을 보였던 것이다.

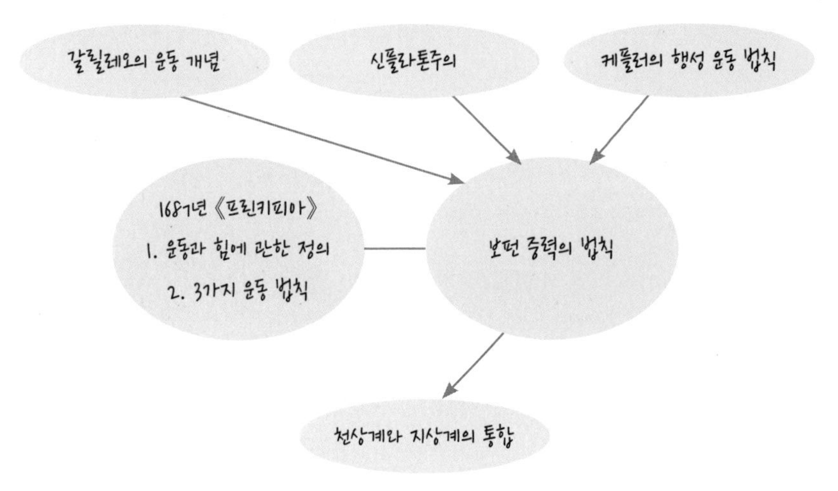

Chapter 4

무지개를 만드는 빛의 정체를 찾아라!

빛의 성질과 광학

우리는 어떤 것도 확실하게 알지는 못하고, 모든 것을 대강 안다.

– 크리스티안 하위헌스 –

빛은 오랫동안 과학자들의 연구 대상이었다. 고대 그리스부터 20세기에 이르기까지 많은 과학자들이 빛의 성질과 색의 비밀을 파헤치고 싶어 했다. 고대 그리스에서는 세상의 근본 물질을 연구하던 자연철학자들과 플라톤, 아리스토텔레스, 유클리드, 프톨레마이오스가 빛에 관심을 가졌다. 중세에는 자연과학만이 아니라 의학과 신학에서도 빛을 중요하게 다루었다. 이 시기에 이루어진 이슬람의 과학자 알하젠의 연구는 이후 유럽의 연구에 큰 영향을 주었다. 빛에 대한 보다 체계적인 연구는 17세기 유럽, 뉴턴의 실험으로 시작되었다.

빛에 대한 논의는 여러 방향에서 이루어졌다. 그중 하나가 빛과 색의 관계에 대한 것이다. 17세기 이전까지만 해도 빛과 색은 완전히 별개의 현상으로 여겨졌다. 빛과 색이 같은 현상이라는 사실을 알게 되기까지는 오랜 기간에 걸친 여러 학자들의 노력이 필요했다.

빛에 대한 또 다른 중요한 연구 주제는 빛의 본성이다. 특히 빛의 본성이 입자인지 파동인지에 관한 논의는 20세기에 이르기까지 계속 이어졌다. 이 논의는 20세기 초에 양자역학이라는 새로운 학문이 수립되면서야 끝날 수 있었다. 오늘날에는 빛에 파동의 성질과 입자의 성질이 모두 존재한다고 생각한다.

보이지 않는 입자로 가득 찬 데카르트의 세계

물체를 보기 위해서는 빛이 필요하다. 우리는 광원에서 나온 빛이 물체에서 반사되어 눈으로 들어와야 물체를 볼 수 있다. 색도 이와 마찬가지의 원리로 인지한다. 물체의 색은 그 물체가 어떠한 색의 빛을 반사하느냐에 따라 결정된다. 어떤 물체가 빨간색으로 보이는 이유는 그 물체가 빨간색 빛을 반사하기 때문이다. 파란색 물체는 여러 색깔의 빛 중에서 파란색 빛을 반사한다.

왜 빛에는 여러 색이 있을까? 바로 빛의 색마다 파장이 다르기 때문이다. 백색광을 파장별로 분리하면 무지개처럼 펼쳐지는 빛의 스펙트럼이 나타난다. 그중에서 빨간색은 파장이 가장 길고, 보라색은 파장이 가장 짧다. 이처럼 서로 다른 색의 빛은 다른 길이의 파장을 가지고 있다. 즉 어떤 물체가 색을 띤다는 것은 그 물체가 특정한 파장의 빛을 반사한다는 것을 의미한다.

사람들은 먼 옛날부터 태양 빛이 스펙트럼을 만든다는 사실을 알고 있었다. 아리스토텔레스는 빛의 스펙트럼을 보고 백색광이 변형되어 여러 가지 색이 만들어진다고 생각했다. 그래서 아리스토텔레스의 색 이론을 변형 이론이라고 한다.

아리스토텔레스는 색을 원래 물체에 존재하는 색과 그렇지 않은 겉보기 색으로 구분했다. 그는 물체의 원래 색을 '본질적인 색'이라고 불렀고, 본질적인 색은 빛이 없어도 유지된다고 생각했다. 빨간색 사과가 있다면, 그 빨간색은 물체의 원래 속성이기 때문에 어둠 속에서도 여전히 사과가 빨간색을 띤다는 것이다. 그는 나뭇잎이 초록색인 것도 초록색이 그 나뭇잎의 기본 속성이기 때문이라고 설명했다.

이에 반해 물체에 비친 무지개는 어두울 때는 사라지니 원래 존재하지 않는 '겉보기 색'이라고 했다. 아리스토텔레스는 겉보기 색은 빛과 어둠이 섞여서 만들어진다고 믿었다. 옛사람들이 근대역학이 정립되기 전까지 무게를 물체의 속성으로 여겼던 것처럼, 색을 물체의 본질적인 성질로 보는 관점도 오래 지속되었다.

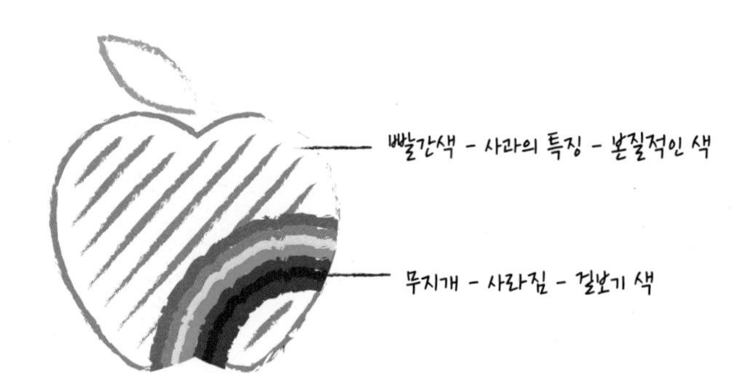

색을 본질적인 색과 겉보기 색으로 구분할 수 있다는 생각을 바꾼 사람은 프랑스의 철학자이자 물리학자이자 수학자였던 르네 데카르트(René Descartes, 1596~1650)였다. 데카르트는 과학 혁명이 일어난 17세기에 유행했던 기계적 철학을 주장하고 확립한 사람이기도 하다. 기계적 철학자들은 자연이 시계와 같은 기계처럼 작동한다고 생각했다. 이들은 자연을 명료하고 직관적인 방식으로 설명하고자 했다.

대표적인 기계적 철학자였던 데카르트는 자연이 눈에 보이지 않는 아주 작은 입자들로 이루어져 있다고 믿었고, 자연 현상을 이 입자들의 운동과 충돌로 설명했다. 데카르트에 의하면 이 우주는 눈에 보이지 않는 작은 입자들로 가득 차 있다. 그리고 이 입자들이 충돌해 별 주위에 소용돌이가 만들어진다. 하늘에 보이는 별들은 모두 자신 주위에 형성된 소용돌이의 중심인 셈인데, 이 소용돌이가 태양이나 지구, 달의 회전 운동을 만들어 낸다. 데카르트는 지구가 태양의 소용돌이를 따라 태양 주위를 공전하고, 달은 지구의 소용돌이를 따라 지구 주위를 공전한다고 생각했다. 소용돌이치는 물 위에 탁구공을 놓으면 소용돌이를 따라 탁구공이 회전하는 것과 같은 원리로 행성의 운동을 이해했던 것이다.

데카르트는 태양에서 나온 빛이 지구에 도달하는 과정도 태양과 지구 사이에 있는 작은 입자들로 설명했다. 그는 둥근 모양의 작고 단단한 입자들이 마치 양동이에 들어 있는 조약돌들처럼 하늘을 가득 채우고 있다고 생각했다. 태양 주위에서 빠르게 움직이는 입자들은 쉴 새 없이 서로를 떠민다. 그렇게 밀다 보면 바깥쪽으로 압력을 주게 되고, 그 압력이 우주를 구성하는 입자들 사이에서 계속 전달된다. 이 압력이 전달되면 우리가

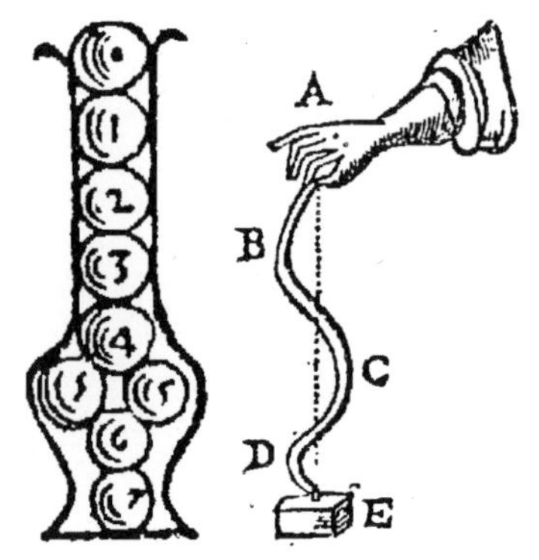

데카르트의 《세계, 혹은 빛에 대한 논고》 내부 삽화 입자로 가득 찬 우주에서의 빛의 전달 과정을 설명하는 삽화이다. 데카르트는 입자들이 불규칙하게 배치되어도 빛이 일직선으로 전해진다는 것을 설명하기 위해 구불구불한 막대기를 누르는 예를 들었다.

빛을 보게 된다는 것이 데카르트의 설명이었다. 태양은 빛을 만들어 내고, 우주 공간에 있는 작은 입자들이 빛을 전달하며, 지구와 같은 물체들은 빛을 반사하는 역할을 맡는 것이다. 데카르트에게 빛은 구형의 작은 입자들로 채워진 우주에서 발생하는 압력 현상이었다.

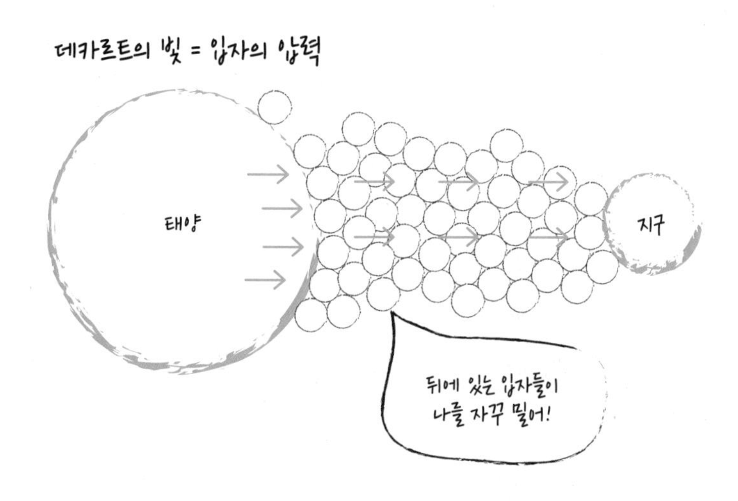

데카르트는 색을 물질의 성질로 보는 아리스토텔레스의 이론이 잘못되었다고 여기고 색과 빛을 통합적으로 설명할 수 있는 방법을 찾아냈다. 그는 우주의 구성 입자들이 서로 다른 속도로 회전하기 때문에 색이 나타난다고 설명했다. 색은 물체에 부여된 본래의 속성이 아니라, 입자의 움직임으로 결정되는 현상이라는 것이다. 이처럼 데카르트는 빛과 색을 입자의 운동이라는 하나의 설명 체계 안으로 끌어들였다.

색을 이해하는 데 한층 다가섰던 데카르트였지만, 그도 전통적인 인식에서 완전히 벗어나지는 못했다. 빛의 원래 상태는 백색광이고, 프리즘으로 나타난 색은 백색광이 변화한 것이라는 생각을 그대로 가지고 있었기 때문이다. 데카르트는 빛이 프리즘을 통과하면 백색광을 이루는 물질의 회전이 변하는데, 이때 그 회전 속도의 변화 정도에 따라 여러 가지 색이 나타난다고 설명했다.

뉴턴, 프리즘으로 빛을 실험하다

빨대를 물에 꽂으면 수면에서 빨대가 꺾인 것처럼 보인다. 이는 공기 중에서와 물속에서의 빛의 속도가 다르기 때문에 생기는 현상이다. 직진하던 빛이 다른 물질로 들어갈 때 진행 방향을 바꾸는 현상을 빛의 굴절이라고 부른다. 빛이 꺾이는 정도를 굴절률이라고 하는데, 굴절률은 색마다 다르다. 프리즘을 통과한 빛이 무지개가 되는 것은 색마다 굴절률이 달라서 빛이 넓게 퍼지기 때문이다.

백색광이 굴절률을 달리하는 여러 색 빛의 혼합이라는 이론을 처음으

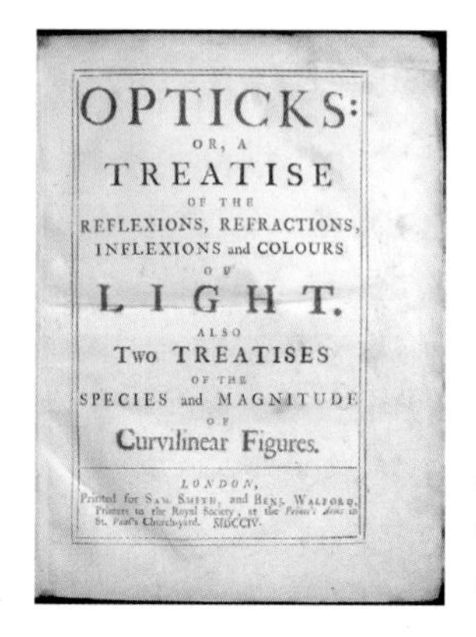
OPTICKS:
OR, A
TREATISE
OF THE
REFLEXIONS, REFRACTIONS,
INFLEXIONS and COLOURS
OF
LIGHT.
ALSO
Two TREATISES
OF THE
SPECIES and MAGNITUDE
OF
Curvilinear Figures.

LONDON,
Printed for Sam. Smith, and Benj. Walford,
Printers to the Royal Society, at the Prince's Arms in
St. Paul's Church-yard. MDCCIV.

《광학》 초판본 빛에 대한 실험을 다룬 《광학》은 대중적인 인기를 얻었다. 《광학》은 3편으로 구성되어 있으며 빛, 반사, 굴절의 정의를 내리고 프리즘과 거울의 원리를 설명한다.

로 내놓은 사람은 아이작 뉴턴이었다. 빛에 대한 뉴턴의 생각은 그의 책 《광학: 빛의 반사, 굴절, 회절, 그리고 색에 대한 논고》에서 드러난다. 원래 뉴턴은 첫 논문이 빛의 본질과 색에 대한 것이었을 만큼 광학 연구에 관심이 많았다. 하지만 그가 광학에 관한 논문을 낼 때마다 로버트 훅과의 논쟁에 휘말려 저술을 보류하고 있었다. 그러다가 훅이 세상을 떠나고, 다음 해인 1704년이 되자 《광학》을 출판했다. 뉴턴의 전작 《프린키피아》가 라틴어로 쓰인 것과는 달리 《광학》은 영어로 쓰였고, 그 내용도 대부분 실험에 관한 것이었기 때문에 비교적 대중들이 읽기가 쉬웠다.

《광학》의 첫 부분에서 뉴턴은 자신은 가설을 세워서 빛의 성질을 논하려는 것이 아니라, 실험을 통해 빛의 성질을 증명하기 위해 책을 쓴다고 밝혔다. 《광학》의 제1편에서 뉴턴은 백색광이 서로 다른 굴절률을 가진 색들이 합쳐져서 만들어졌으며, 각각의 색은 더 이상 나누어지지 않는다는 것을 실험으로 보였다. 이를 위해 먼저 뉴턴은 빛, 반사, 굴절의 정의를 내렸다. 그런 다음, 아직 프리즘이나 볼록 렌즈에 익숙하지 않았던 당대 사람들에게 프리즘에서 어떻게 빛의 굴절이 일어나는지, 그리고 렌즈를 통해 물체를 보면 어떻게 보이는지 등을 자세하게 설명했다.

물체에서 나온 빛은 프리즘을 통과하면서 굴절한다. 그러나 우리는 빛이 직진해 눈에 들어왔다고 인지하기 때문에 물체는 실제보다 더 위에 있는 것으로 보인다. 또한 거울을 볼 때 물체에서 거울을 향해 입사한 빛은 거울 면에서 반사되어 눈으로 들어오지만 우리는 빛이 거울 뒤에서 직진해 나왔다고 생각한다. 뉴턴은 이런 프리즘과 거울의 원리를 삽화를 이용해 쉽게 설명했다.

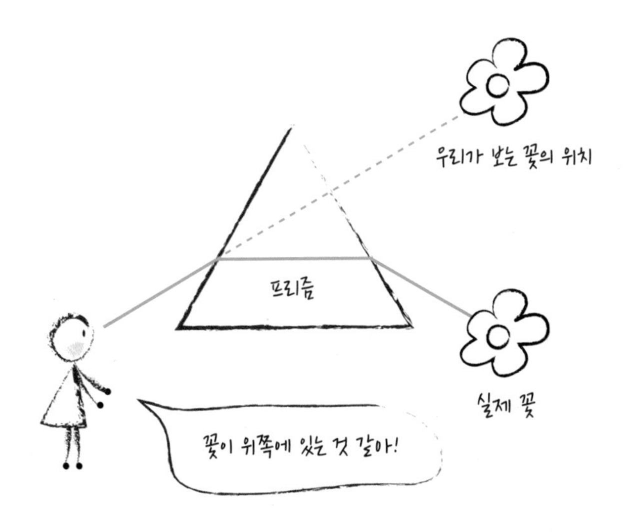

백색광에 대한 뉴턴의 주장을 받아들이기 위해서는 먼저 '색깔이 서로 다른 빛들은 굴절하는 정도도 다르다.'라는《광학》의 첫 번째 명제를 이해해야 한다. 뉴턴은 여러 가지 실험을 진행해 빨간색 빛보다 파란색 빛의

굴절률이 더 크다는 것을 보였다. 뉴턴은 길쭉한 종이를 반으로 나누어 한 쪽에는 파란색을, 다른 쪽에는 빨간색을 칠했다. 이 종이를 창문 앞에 두고 프리즘으로 관찰했더니 종이의 파란 부분이 더 높은 곳에 있는 것처럼 보였다. 이는 종이의 빨간 부분에서 나온 빛보다 파란 부분에서 나온 빛이 더 크게 굴절되었음을 의미한다.

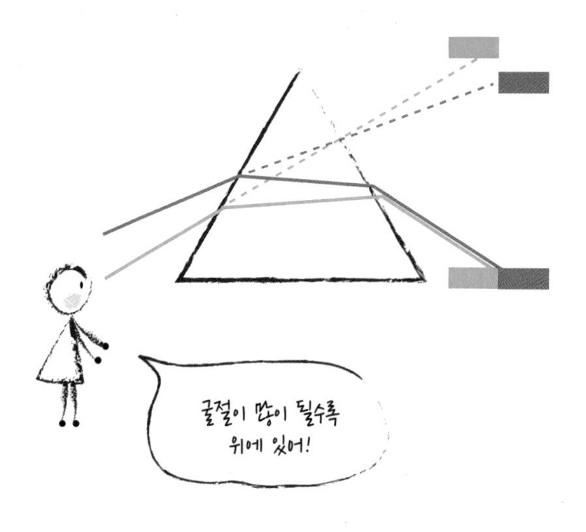

《광학》에 실린 두 번째 명제는 '태양 빛은 서로 다른 굴절률을 가진 광선들로 구성된다.'이다. 이는 이 책에서 가장 중요한 명제이기도 하다. 프리즘이 만드는 빛의 스펙트럼은 백색광이 변한 것이 아니라, 원래 백색광 속에 들어 있던 빛들이 굴절률에 따라 분산되어 나타나는 것이며, 각각의 색은 더 이상 나뉘지 않는다는 것을 의미한다. 뉴턴은 이 두 번째 명제를 증명하기 위해 여러 실험을 실시했는데, 그중 가장 유명한 실험은 '뉴턴의 결정적 실험'으로 알려져 있다.

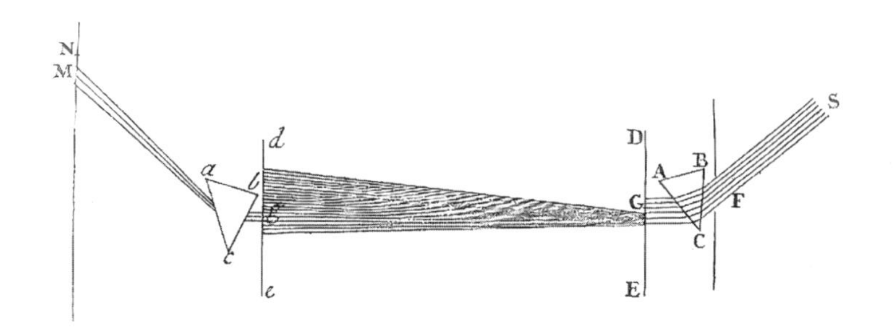

《광학》에 실린 뉴턴의 결정적 실험 뉴턴은 2개의 프리즘을 이용한 이 실험으로 백색광이 굴절률이 다른 여러 광선으로 이루어졌다는 것을 보였다.

이 유명한 실험에서 뉴턴은 창문 틈으로 들어온 백색광을 프리즘에 통과시켜 스펙트럼을 만들고, 분산된 광선들 중 한 광선을 두 번째 프리즘에 다시 통과시켰다. 두 번째 광선은 프리즘을 지나도 더 이상 분산되지 않았다. 이를 보고 뉴턴은 더 이상 분산되지 않는 여러 색의 빛들이 모여 백색광이 된다고 결론 내렸다.

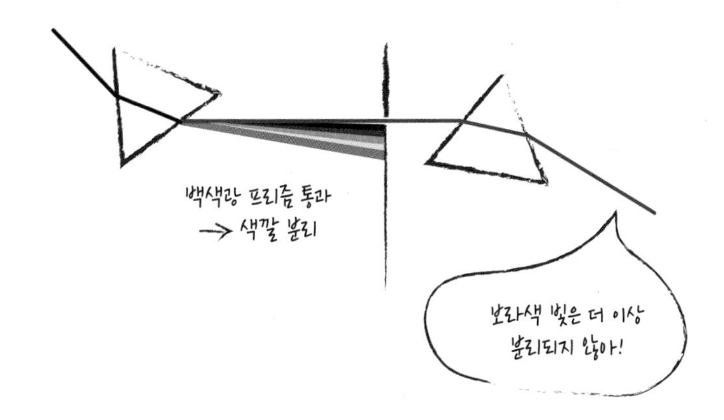

뉴턴은 여러 방식으로 프리즘을 배치하는 실험을 진행해 색의 본질에 대한 인식을 완전히 새롭게 바꿨다. 많은 사람들이 뉴턴의 대표적인 업적으로 운동 법칙과 보편 중력의 법칙 정립을 들지만, 그는 빛과 색, 특히 백색광의 본질에 대한 연구에서도 큰 공헌을 했다.

뉴턴의 빛에 대한 설명

다른 색의 빛 → 굴절률이 다름

태양빛(백색광) → 굴절률이 다른 광선으로 구성됨

빛은 입자일까 파동일까? 과학자들의 편이 갈리다

빛의 본질에 대한 논의는 아주 먼 옛날까지 거슬러 올라간다. 고대 그리스의 원자론자들은 세계가 원자라는 매우 작은 입자들로 구성되어 있다고 믿었고, 우리가 경험하는 모든 자연 현상을 입자의 운동, 충돌, 결합으로 설명했다. 대표적인 원자론자였던 데모크리토스(Dēmokritos, 기원전 460~370)는 빛도 입자로 되어 있다고 말했다. 하지만 데모크리토스보다 조금 뒤의 시기에 활동한 아리스토텔레스는 빛은 파동이라고 주장했다. 이후 빛이 입사인지 파동인지에 관한 논의는 20세기 초까지 이어졌다.

빛의 입자설이란 빛이 작은 입자로 구성된다고 보는 이론이다. 빛이 입자라면 빛이 전달될 때 입자들이 직접 이동해 가야 한다. 입자설에 따르면 빛 입자들이 직선으로 이동하기 때문에 빛은 항상 직진하며, 멀리까지 빛이 이동해도 입자의 양이 보존되기 때문에 항상 빛의 밝기가 일정하다. 빛의 입자의 성질을 보여 주는 대표적인 예는 그림자이다. 빛 입자들이 똑바로 나아가다가 어떤 물체를 만나면 물체를 통과하지 못해 물체 뒤쪽에 그림자가 생긴다.

이에 반해 빛의 파동설은 빛이 파동 형태의 에너지라는 이론이다. 에너지는 일을 할 수 있는 능력이고, 파동은 진동이 퍼져 나가는 현상이다. 파동을 전달하는 매질은 에너지만을 전달할 뿐, 파동을 따라 이동하지 않고 제자리에서 진동만 한다. 파동이 좁은 틈을 통과할 때에는 그 틈 뒤쪽으로 파동이 넓게 퍼져 나가는 회절 현상이 일어난다. 빛에서도 이런 회절 현상을 관찰할 수 있다. 빛이 파동이라고 믿었던 과학자들은 이 사실이야말로 빛이 파동이라는 증거라고 해석했다.

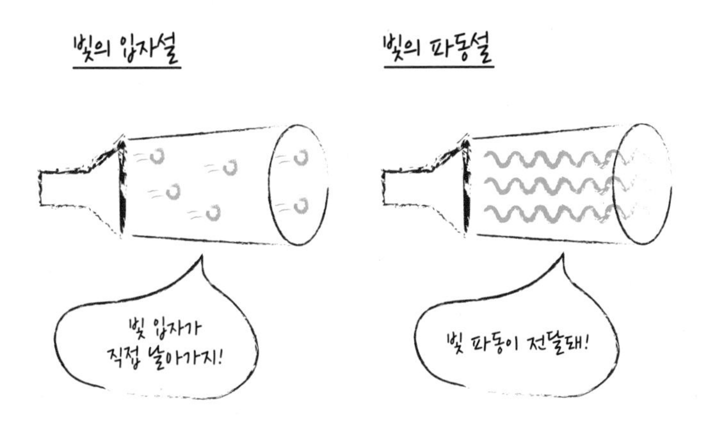

입자설과 파동설은 양립할 수 없어 보였다. 과학자들은 아주 오랫동안 빛이 입자의 성질과 파동의 성질을 동시에 가질 수도 있다는 생각을 하지 못하고 논쟁을 벌였다. 17세기 들어 빛의 속성에 대한 논의가 본격적으로

크리스티안 하위헌스 파동에 대한 여러 연구를 진행했다. 그중에서도 하위헌스의 원리는 파동의 전파에 대한 새로운 시각을 제시해 빛이 파동임을 보여 주었다.

진행되었고, 많은 학자들이 이에 대한 자신들의 견해를 밝혔다.

《광학》에서 뉴턴은 빛이 입자라고 보고 이를 바탕으로 직진, 반사, 굴절 등의 현상을 설명했다. 뉴턴도 처음에는 빛의 입자설과 파동설을 모두 고려했다. 하지만 요동치며 이동하는 파동과 달리 빛이 직진한다는 점 때문에 점점 파동설보다 입자설을 옹호하게 되었다. 빛이 입자라고 가정하면 굴절 현상은 설명하기 어려워진다. 하지만 뉴턴은 빛이 공기에서 다른 매질로 들어갈 때 굴절시키는 힘에 의해 속도가 빨라져 굴절 현상이 생긴다고 설명해 입자설과 굴절 현상을 양립시키고자 했다.

뉴턴과 비슷한 시기에 살았던 크리스티안 하위헌스(Christiaan Huygens, 1629~1695)는 빛의 파동설을 주장한 것으로 유명하다. 네덜란드의 수학자이자 물리학자이자 천문학자였던 하위헌스는 빛의 파동설을 바탕으로 반사와 굴절 법칙을 설명했다.

하위헌스의 생각은 1690년에 출판한 《빛에 관한 논고》에 잘 드러난다. 하위헌스는 우주 공간을 '에테르(ether)'라는 물질이 채우고 있으며, 빛은

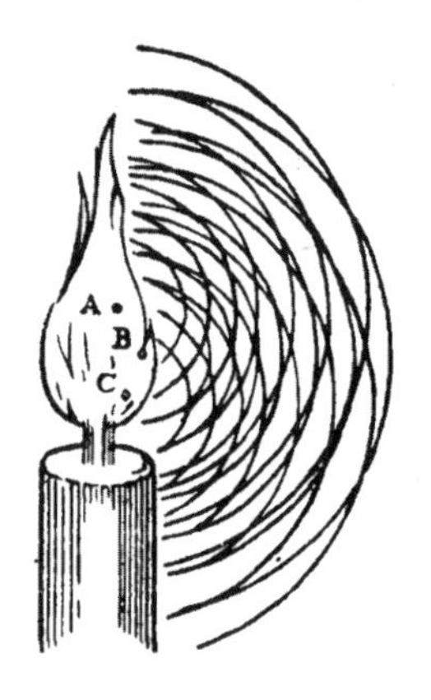

《빛에 관한 논고》의 삽화 하위헌스가 빛이 구형의 파동이라는 것을 설명하기 위해 도입한 삽화이다. 촛불의 A, B, C 각 지점에서 파동이 발생하며, 그 파동은 서로를 방해하지 않고 둥글게 퍼져 나간다.

에테르를 통해 전해지는 파동이라고 설명했다. 빛의 전파를 에테르의 진동으로 설명했던 것이다. 하위헌스에 따르면 빛은 동심원 모양으로 퍼지며, 파동이기 때문에 부딪쳐도 서로를 방해하지 않고 계속 앞으로 나간다.

그는 매질의 밀도와 속도에 대해서도 뉴턴과는 다른 생각을 가지고 있었다. 뉴턴은 밀도가 높으면 빛의 속도가 더 빨라진다고 했지만 하위헌스는 반대로 매질의 밀도가 클수록 속도가 더 느려진다고 생각했다. 이러한 가정을 바탕으로 하위헌스는 빛이 공기보다 밀도가 높은 물에 들어가면 속도가 느려져 원래 가야 하는 거리보다 덜 이동하기 때문에 빛이 아래쪽으로 꺾인다고 굴절 현상을 설명했다.

하위헌스의 파동 이론 중 가장 유명한 것은 하위헌스의 원리이다. 하위헌스에 따르면 파동이 구형으로 퍼져 나갈 때, 파동의 가장 높은 지점을 연결한 각 점은 새로운 파를 만드는 구심점이 된다. 각 구심점에서는 또새로운 파가 시작되고, 새로운 파들의 가장 높은 지점들로부터 또 새로운 파가 퍼져 나간다.

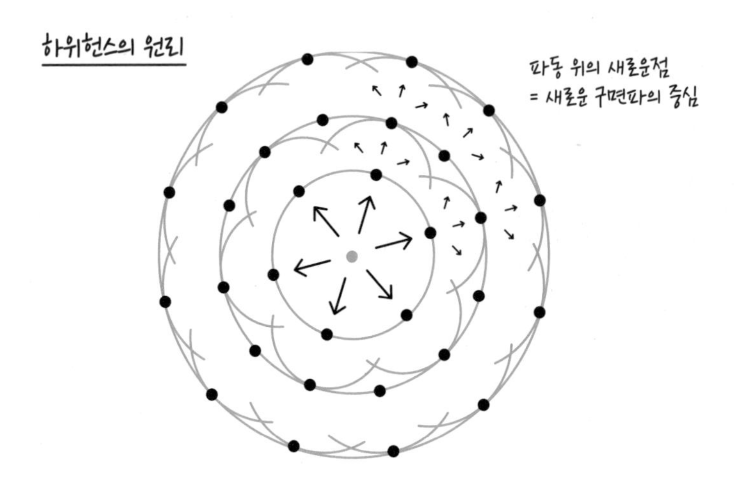

하위헌스의 원리를 이용하면 빛의 회절 현상이 쉽게 설명된다. 좁은 틈 사이로 들어간 빛의 파동은 하나의 작은 점으로 볼 수 있다. 빛은 그 점에서부터 다시 둥글고 넓게 퍼져 나간다.

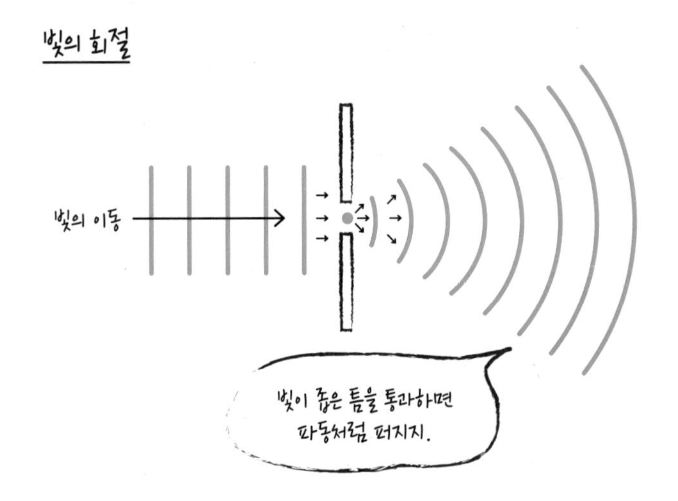

토머스 영 영은 빛뿐만이 아니라 에너지, 기계, 언어학 등 다양한 분야를 연구해 많은 업적을 남겼다.

하위헌스의 원리는 빛의 회절 현상을 아주 잘 설명했지만, 그의 이론이 가졌던 설득력에도 불구하고 당시에는 빛의 파동설이 잘 받아들여지지 않았다. 빛이 매질을 통해서 전달되는 파동이라고 가정하면, 매질이 없는 진공 상태에서는 빛이 전달될 수 없어야 하지만 실제로는 그렇지 않았기 때문이다. 또한 입자설을 주장한 뉴턴의 과학적 권위가 너무 높았기에 많은 사람들은 뉴턴을 따라 오랫동안 빛이 입자라고 생각했다. 뉴턴의 입자설은 그 뒤로도 약 100년간 큰 비판 없이 수용되었다.

19세기 초 빛의 파동설을 증명하는 여러 실험들이 행해지면서 빛이 파동이라는 생각이 점차 입자설을 밀어내기 시작했다. 이러한 변화를 이끌어 내는 데 가장 큰 공헌을 한 사람은 영국의 의사이자 물리학자였던 토머스 영(Thomas Young, 1773~1829)이었다. 토머스 영은 이중 슬릿 실험을 통해 빛이 파동의 성질을 가지고 있음을 증명했다.

이중 슬릿 실험은 좁은 틈인 슬릿에 빛을 통과시켜 빛의 성질을 알아보는 실험이다. 빛이 첫 번째 슬릿을 통과하면 회절 현상이 일어나 구면파가 발생하고, 이 구면파는 두 번째 슬릿을 지나 다시 퍼져 나간다. 두 슬릿에서 나온 파동은 중간에 겹쳐지면서 간섭 현상을 일으킨다. 이때 파동에서 가장 높은 부분인 마루와 마루가 만나면 파동의 세기가 강해지는 보강 간섭이 일어나고, 반대로 골과 마루가 엇갈려 겹치면 상쇄 간섭이 일어난다.

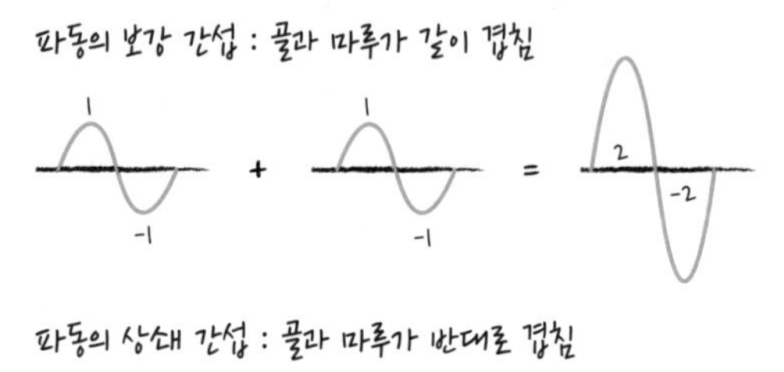

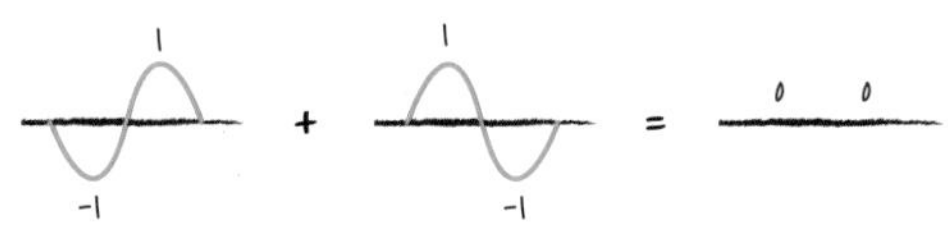

간섭 현상의 결과는 앞쪽에 설치한 스크린에 나타나는 무늬로 확인할 수 있다. 보강 간섭이 일어난 부분의 빛은 강해지고 상쇄 간섭이 일어난 부분은 어두워진다. 이렇게 생긴 무늬를 간섭무늬라고 한다. 실험 결과 영은 스크린에 명확하게 간섭무늬가 나타난 것을 확인할 수 있었다.

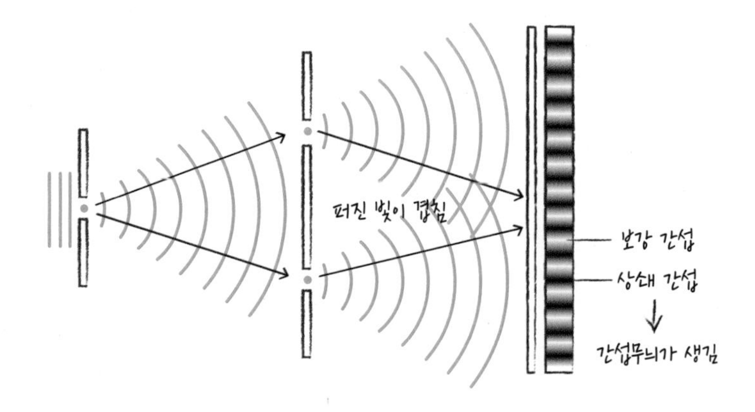

만약 빛이 입자라면 간섭무늬는 나타나지 않고 슬릿 바로 앞쪽만 밝게 빛났을 것이다. 이 실험은 빛이 파동이라는 생각이 퍼지는 데 중요한 역할을 했다. 이후 빛의 파동설은 프랑스 물리학자 오귀스탱 장 프레넬(Augustin-Jean Fresnel, 1788~1827)의 연구로 더욱더 공고해졌다.

파동설을 완전히 확립한 사람은 영국의 물리학자인 제임스 클러크 맥스웰(James Clerk Maxwell, 1831~1879)이다. 맥스웰은 전자기 연구로 유명하다. 빛의 정체를 밝힌 맥스웰의 연구 결과는 그의 전자기 연구의 연장선에서 등장했다.

어렸을 때부터 색에 많은 호기심을 품었던 맥스웰은 빛과 색에 대한 다양한 연구를 진행했다. 그는 물감 혼합과 빛 혼합이 근본적으로 다르다는 것을 알아냈고, 빛의 3원색도 알아냈다. 그는 색 회전판을 만들어 빛의 3원색인 빨간색, 초록색, 파란색을 적절한 비율로 섞어 돌리면 흰색을 만들 수 있을 뿐만 아니라, 이 색들을 다양한 비율로 합성해 여러 색들을 만들 수 있다는 사실도 알아냈다. 맥스웰은 색맹인 사람들에게는 빨간색 빛에 대한 수용체가 없다는 연구 결과도 얻었다.

빛에 대한 맥스웰의 가장 중요한 업적은 빛이 전자기파라는 점을 알아낸 것이다. 전자기 연구를 계속하던 그는 자신이 정립한 방정식으로 전자기파의 속도를 계산했는데, 그 결과가 당시 알려져 있던 빛의 속도와 같았다. 빛이 곧 전자기파임을 밝혀낸 것이었다. 맥스웰이 빛이 파동이라는 사실을 자신의 방정식을 이용해 이론적으로 증명하면서 파동설은 완전히 승리를 거둔 것으로 보였다.

하지만 20세기 초에 입자설은 부활했다. 입자설을 다시 주장한 주인공은 바로 알베르트 아인슈타인(Albert Einstein, 1879~1955)이었다. 아인슈타인이 입자설을 부활시킨 이유는 광전 효과 때문이었다.

광전 효과란 금속에 진동수가 높은 전자기파, 즉 빛을 비추면 금속에서 전자가 튀어나오는 현상을 말한다. 이때 튀어나온 전자를 광전자라고 하는데, 광전자가 가지는 에너지는 빛의 진동수에 비례한다.

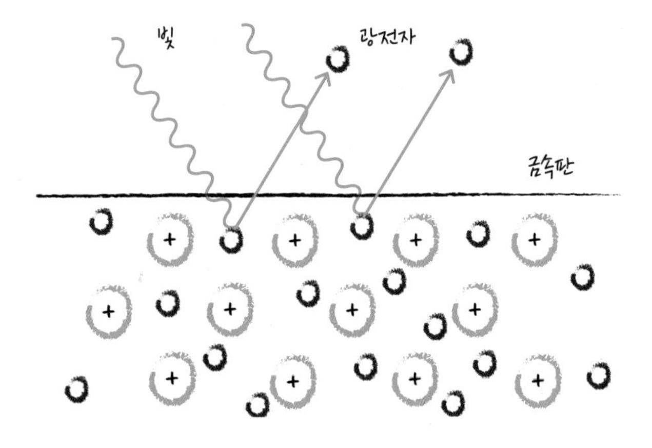

아인슈타인은 광전 효과가 빛이 입자임을 증명한다고 생각했다. 빛이 파동이라면 에너지가 올라가는 데 시간이 걸릴 것이고, 따라서 광전자가 나오는 데도 시간이 걸릴 것이다. 그러나 광전자는 금속에 빛을 비추자마자 튀어나왔다. 또한 빛이 파동이라면 에너지가 클수록 파도가 크게 치는 것처럼, 빛의 세기가 셀수록 광전자가 많이 나올 것이다. 하지만 광전 효과는 빛의 세기가 약하더라도 일정한 진동수의 빛을 비추기만 하면 발생한다. 아인슈타인이 보기에 광전 효과는 금속이 특정 에너지를 가진 빛 입자에 맞아서 일어나는 현상이었다. 아인슈타인은 광전 효과를 바탕으로

알베르트 아인슈타인 베를린 대학교 사무실에서 1920년에 찍은 사진이다. 아인슈타인은 1922년에 광전 효과를 발견한 공로로 노벨 물리학상을 받았다.

빛이 입자라고 생각하기 시작했다.

1905년에 발표한 논문에서 아인슈타인은 광전 효과를 설명하기 위해 빛을 입자로 가정하는 광양자설을 주장했다. 빛을 광양자라는 입자들의 흐름으로 설명한 것이었다.

소리는 파동의 형태로 전달되기 때문에 멀리 갈수록 약해진다. 하지만 아인슈타인의 말대로 빛이 입자라면 멀리까지 이동하더라도 입자의 수가 그대로니 약해지지 않는다. 멀리 있는 별에서 나온 빛이 사라지지 않고 지구까지 무사히 도달해 우리가 별을 볼 수 있는 이유이다.

많은 사람들이 아인슈타인이 상대성 이론으로 노벨 물리학상을 받았을 것이라고 생각하지만, 사실은 이 광전 효과를 연구한 공로로 받았다. 이후 많은 과학자들이 실험을 통해 빛이 입자의 성질을 가지고 있음을 증명해 냈다.

빛에 대한 논란, 최후의 승자는?

이제까지 살펴보았듯이 빛은 입자의 성질과 파동의 성질을 모두 가지고 있다. 과학자들은 오랜 옛날부터 빛이 입자인지 파동인지를 두고 치열한 논쟁을 벌여 왔다. 이론은 실험으로 반박당하고, 또 다른 실험과 연구는 또다시 기존의 이론을 뒤엎는 과정을 반복해 온 것이다.

17C : 뉴턴(입자설), 하위헌스(파동설)

19C 초 : 영(파동설)

19C 중 : 맥스웰(파동설)

20C 초 : 아인슈타인(입자설)

20세기 초에 과학자들은 빛만이 파동과 입자의 이중성을 가진 것이 아니라는 것을 알게 되었다. 원자를 구성하는 전자 역시 빛처럼 이중성을 가지고 있음을 알아낸 것이다. 전자도 입자의 성질과 파동의 성질을 모두 가지고 있다는 생각, 이는 20세기 과학에 있어서 가장 혁명적인 사건을 예고하는 아이디어였다. 그것은 바로 양자역학의 등장이었다.

빛의 본질을 찾기 위한 긴 논쟁의 역사에서 최후의 승자는 누구일까? 오늘날에는 빛이 파동의 성질과 입자의 성실을 모두 가지고 있다고 설명한다. 빛은 분명 전자기파로서 파동의 성질을 지니고 있지만, 원자 단위의 미시적인 세계에서는 입자의 성질을 띠게 된다. 이는 원자나 소립자 등을 다루는 학문인 양자역학이 등장했기 때문에 가능한 설명이기도 하다.

빛에 대한 이해는 여러 과학자들의 성과들이 때로는 서로 경합하고 때로는 서로 합쳐지면서 형성되었다. 과학 이론은 이렇게 서로 다른 여러 생각들이 상충하고 서로를 보충하면서 발전해 간다. 때로는 어느 쪽도 틀리지 않다는 결론이 나고, 새로운 학문의 지평선이 열리기도 한다.

또 다른 이야기 | 뉴턴과 라이프니츠, 미적분학의 창시를 두고 논쟁하다

과학과 기술의 역사에서는 종종 발견의 우선권을 두고 관련자들 사이에서 큰 논쟁이 벌어진다. 예를 들어 20세기 초에 라이트 형제는 새뮤얼 피어폰트 랭글리를 지지하는 사람들과 오랜 시간에 걸쳐 논쟁을 한 끝에야 비행기 발명가로 공식 인정을 받을 수 있었다. 19세기 말에는 진화론을 누가 먼저 생각했는지를 둘러싸고 찰스 다윈과 알프레드 러셀 월리스가 우선권 논쟁을 벌일 뻔했다. 미적분학도 이런 우선권 논쟁에 휩싸였다.

미적분학을 누가 먼저 생각해 냈는지를 둘러싼 논쟁은 1699년에 처음 시작되었고, 1711년경에는 정점에 이르렀다. 미적분학에 대한 아이디어를 먼저 공표한 것은 독일의 고트프리트 빌헬름 라이프니츠(Gottfried Wilhelm Leibniz, 1646~1716)였다. 그는 1684년에 미적분학을 담은 책을 출판했다. 반면 뉴턴은 자신이 비록 1704년에서야 《광학》의 말미에 미적분법에 대한 아이디어를 정리해 발표했지만, 1666년경에 이미 구상을 했다고 주장했다. 뉴턴의 노트와 편지 들은 뉴턴의 말을 지지하는 근거가 되었다. 이후 논쟁은 당사자들보다도 오히려 주변의 추종자들이 주도했으며, 논쟁이 지속될수록 더 많은 사람들이 가담했다. 나중에는 영국과 유럽 대륙의 자존심 싸움이 되었을 정도였다. 논쟁은 뉴턴과 라이프니츠가 죽은 이후에도 계속될 정도로 치열했다.

오늘날에는 뉴턴과 라이프니츠가 각각 독립적으로 미적분을 발견했다고 인정한다. 미적분학을 둘러싼 논쟁은 같은 과학적·수학적 사실을 여러 사람이 동시에 발견하는 경우를 보여 주는 여러 역사적 사례들 중 하나이다.

정리해 보자 | 빛에 관한 논의

빛과 색의 본질에 관한 논의는 고대부터 시작되었다. 아리스토텔레스는 여러 가지 다양한 색들은 백색광이 변형되어 만들어진다고 생각했다. 17세기 학자 데카르트도 같은 생각을 가지고 있었다. 하지만 뉴턴은 프리즘 실험으로 여러 색의 빛이 모여 백색광을 이루며, 각각의 단색광들은 더 이상 나누어지지 않는다는 것을 밝혔다. 아리스토텔레스는 색이 물체의 본성이라고 생각했지만, 데카르트는 이 생각에 반대하고 대신 우주를 가득 채우고 있는 작은 입자들이 전달하는 압력의 변화로 빛의 전달 과정을 설명했다.

빛이 파동인지 입자인지를 둘러싼 논쟁은 아주 오래 지속되었다. 입자설은 17세기 말에 뉴턴이 주장한 이후 오랫동안 지지를 받았다. 하지만 영의 이중 슬릿 실험과, 맥스웰의 빛의 전자기파 증명으로 파동설이 다시 힘을 얻었다. 하지만 20세기 초에 아인슈타인은 광전 효과를 설명하며 입자설을 부활시켰다. 오늘날에는 빛이 입자의 성질과 파동의 성질을 모두 지닌 것으로 설명한다.

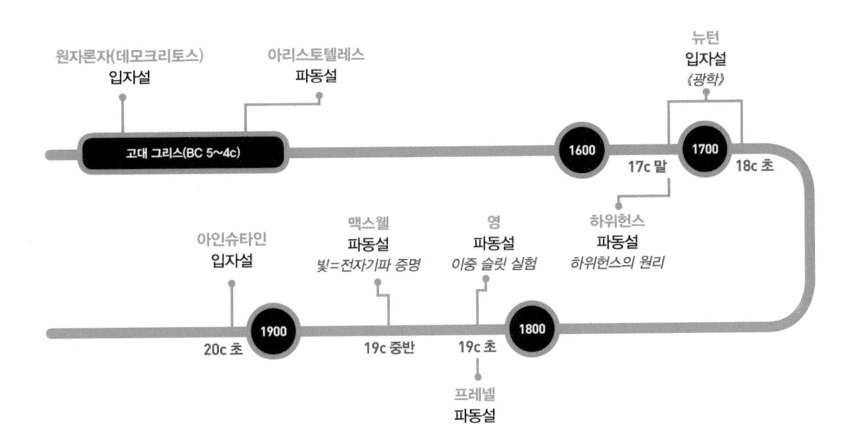

Chapter 5

자석과 번개가 같은 현상이라고?

전자기 유도 법칙과 전자기학

모른다는 사실을 완전히 자각한 무지는, 과학 발전을 알리는 도입부이다.

– 제임스 클러크 맥스웰 –

건조한 겨울날이면 옷을 만졌다가 찌릿한 느낌을 받을 때가 있다. 호박 보석을 문지르면 먼지가 붙는 모습을 볼 수 있다. 이는 모두 전기 때문에 일어나는 전기 현상이다. 반면 자석이 서로를 밀어내거나 달라붙고, 나침반이 늘 같은 방향을 가리키는 것은 자기 현상이라고 한다.

인류는 오래전부터 전기 현상과 자기 현상에 대해 큰 호기심을 가지고 있었다. 하지만 전자기학이라는 학문이 정립되어 전기 현상과 자기 현상을 통합적으로 이해하게 된 것은 19세기 중반의 일이다. 그 이전까지만 해도 전기와 자기는 완전히 다른 현상으로 여겨졌다. 전기 현상은 스파크, 번개, 또는 찌릿찌릿한 자극으로 나타났지만, 자기 현상은 물체를 끌어당기거나 밀어내는 것으로 드러나기 때문이다.

전기와 자기에 대한 이해는 근대 과학이 발전하며 점점 깊어졌다. 과학자들은 전기 현상과 자기 현상을 연구하기 위해 여러 실험 도구를 개발했고, 실험 결과들을 정량화했다. 특히 19세기 초에 볼타 전지가 발명되어 전류를 지속적으로 공급할 수 있게 됨으로써 전기와 관련된 실험이 비약적으로 발전했다.

1820년대가 되자 전기 현상과 자기 현상이 별개로 발생하는 것이 아니라는 실험 결과들이 속속 등장했다. 과학자들의 과제는 전기 현상과 자기 현상을 통합해 설명할 수 있는 체계를 만들어 내는 것이 되었다. 그 과제를 해결하고 전자기학을 정립한 과학자가 바로 맥스웰이었다.

나침반은 왜 늘 북쪽을 가리킬까?

자기는 자석이 주위의 물체를 끌어당기거나 밀어내는 현상 또는 성질이다. 자기학을 다루는 과학자들은 자석의 성질이나 자기력, 자기장, 혹은 지구의 자기를 연구한다.

자석은 직접 접촉을 하지 않고도 물체를 움직이기 때문에 예로부터 불가사의한 것, 수수께끼에 싸인 것, 신비한 것, 마술적인 것으로 인식되어 왔다. 자석의 힘을 처음으로 언급한 사람은 고대 그리스의 탈레스로 알려져 있다. 아리스토텔레스는 이에 대해 책에 이렇게 썼다.

> 그들이 기억하는 바에 따르면, 탈레스도 혼을 (다른 것을) 움직이게 하는 어떤 것으로 생각했던 것 같다. 그는 그 돌(자석)이 철을 움직이게 한다는 근거로 그것이 혼을 가지고 있다고 말했기 때문이다.
>
> -아리스토텔레스, 《혼에 관하여》(탈레스 외, 《소크라테스 이전 철학자들의 단편 선집》, 130쪽)

자석의 성질을 이용하는 도구가 나침반이다. 나침반은 방향을 정확하게 알려 주는 도구인데, 나침반의 바늘이 바로 자석이다. 나침반을 맨 처음 만들어 사용한 이들은 고대 중국인들이다. 나침반은 화약, 종이와 더불어 중국의 3대 발명품 중 하나로 꼽히지만, 언제 누가 나침반을 발명했는지는 정확하게 알려져 있지 않다.

초기의 나침반은 천연 자석으로 만들어졌다. 최초로 발명된 나침반은 사남이라는 도구인데 기원전 4세기경 전국 시대부터 사용되었다. 사남은 천연 자석을 갈아 국자 모양으로 만든 지남기와, 지남기를 올려 두는 평평

최초의 나침반 **중국 최초의 나침반은 반 위에 지남기가 올려진 형태로 손잡이 부분이 남쪽을 가리켰다. 사진은 같은 원리를 사용하는 한나라 시대의 나침반이다.**

한 반으로 구성된다. 반 위에 지남기를 올려놓고 돌리면 손잡이 부분이 항상 남쪽을 가리킨다. 이 나침반은 보통 점술 목적으로 사용되었다.

중국에서 방향을 찾기 위해 본격적으로 나침반을 사용한 시기는 11세기 초 송나라 시대부터였다. 이 시기에 중국인들은 항해에 나침반을 이용했는데, 이 나침반은 자침을 물 위에 띄운 형태였다. 해와 별이 없는 흐린 날에는 이를 통해 남북을 알아냈다. 송나라의 학자였던 심괄은 자신의 저서《몽계필담》에서 이렇게 말했다.

마술사들은 천연 자석으로 바늘의 끝을 문지른다. 그러면 바늘은 남쪽을 가리킨다. (중략) 이것은 손톱 위에서도 평형을 이루고 컵의 가장자리에서도 균형을 잡으며 또한 어디에서나 쉽게 움식이지만 떨어지지 않도록 주의해야 한다. 가장 좋은 바늘의 사용법은 바람이 없는 곳에 겨자씨 크기만 한 바늘 중심에 가는 새 비단실을 한 가닥 매다는 것이다. 이것은 항상 남쪽을 가리킨다.

–심괄,《몽계필담》(로버트 템플,《그림으로 보는 중국의 과학과 문명》, 164쪽)

지남거 수레 모양의 나침반으로 사람의 손끝이 남쪽을 가리키도록 설계되었다.

송나라에서는 자석에 대한 연구가 활발히 이루어졌고, 물고기 모양의 지남어, 수레 모양의 지남거 등 다양한 형태의 나침반이 사용되었다. 이러한 초기 나침반들에는 바늘이 없었는데, 점차 바늘을 이용한 나침반이 천연 자석을 대체했다.

중국의 나침반은 12세기 말에서 13세기 초에 이슬람을 거쳐 유럽으로 전파되었다. 유럽인들도 처음에는 바늘처럼 생긴 자석을 물에 띄워 방향을 알아냈다. 하지만 14세기를 거쳐 15세기가 되면서 유럽인들은 물에 바늘을 띄우는 대신, 바늘을 판에 고정해 방향을 찾는 나침반을 만들었다. 이렇게 개발된 나침반은 이후 유럽이 15세기에 대항해 시대를 열어 배를 타고 세계를 탐색하는 데 중요한 역할을 한다. 하지만 이때도 나침반 바늘이 어떤 원리로 북쪽을 가리키는지에 대해서는 누구도 정확하게 알지 못했다.

나침반 바늘이 남북을 가리키는 성질을 처음 연구한 사람은 13세기 프랑스의 천문학자 페트루스 페레그리누스(Petrus Peregrinus de Maricourt, ?~?)였다. 페레그리누스는 1269년에 고향 사람에게 보낸 〈자석에 대한 편

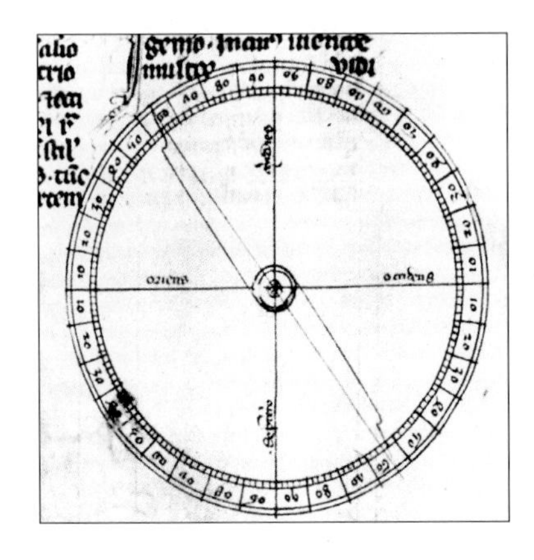

〈자석에 대한 편지〉의 나침반 삽화 1269년에 쓰인 〈자석에 대한 편지〉의 삽화를 14세기에 베껴 그린 그림이다.

지〉에서 자석의 성질과 나침반에 대해 설명했다. 이 편지는 "친애하는 벗이여, 자네의 간절한 요청을 받아들여 자석의 숨겨진 힘을 쉽고 분명한 언어로 설명해 보겠네."라는 문장으로 시작한다.

실험을 중요하게 여겼던 페레그리누스는 실험을 통해 자기 현상에 대한 중요한 연구 결과를 많이 얻을 수 있었다. '극(polus)'이라는 단어를 처음으로 사용한 사람도 그였다. 페레그리누스는 자석에는 두 극이 있으며, 자석을 둘로 나누어도 각 조각들은 다시 두 극을 가진다는 것을 알아냈다. 또 그는 실험을 통해 같은 극끼리는 서로 밀어내고 다른 극끼리는 당긴다는 사실도 발견했다.

페레그리누스는 자석의 양극 중에서 북쪽을 가리키는 극을 자석의 북극(N극), 즉 자북극이라고 불렀다. 페레그리누스 스스로는 몰랐지만, 자석은 서로 다른 극끼리 끌리니 북쪽에 있는 지구의 자북극은 실제로는 자석의 남극(S극)인 셈이 된다.

15세기와 16세기 들어 과학자들은 지구도 하나의 커다란 자석이라는 것을 깨달았다. 이 시기에 '편각'과 '복각'이 발견되었다. 자석이 가리키는 북극과 실제 지리적 북극은 서로 다르다. 나침반의 북극인 자북극, 지리상의 북극, 나침반의 중심을 선으로 연결했을 때 생기는 사잇각이 편각이다. 한편, 나침반 바늘은 지표면과 수평으로 있지 않고 극에 가까워질수록 아래쪽을 가리킨다. 복각은 자침의 방향이 수평면과 이루는 각도를 말한다. 편각과 복각 개념은 과학자들이 지구가 자석이라는 사실을 이해하는 데 큰 도움을 주었다.

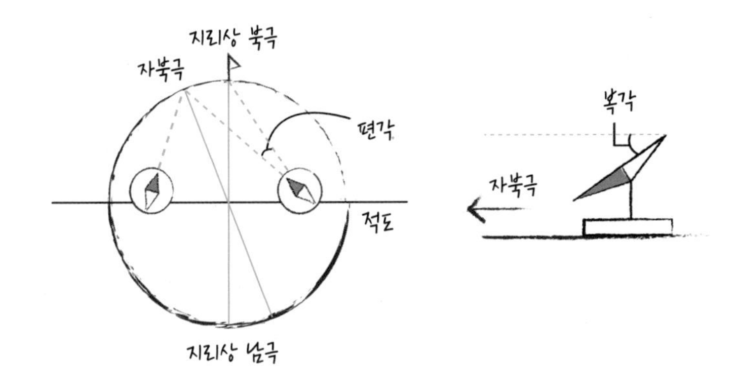

복각의 발견자는 영국의 로버트 노먼(Robert Norman, ?~?)으로 알려져 있다. 노먼은 선원이었는데, 약 20년간 선원으로 일한 뒤 은퇴하고 런던에서 항해용 기계를 만들어 팔았다. 그러던 중 북극을 가리키는 나침반 바늘의 끝이 항상 아래로 기울어지는 현상을 알아챘다. 바로 복각을 발견한 것이다. 노먼은 복각을 측량하는 도구를 직접 만들기도 했다. 노먼은 1581년에 《새로운 인력》이라는 소책자를 집필했는데, 이 책에는 자석의 성질이 설명되어 있었다.

윌리엄 길버트 길버트는 노먼의 실험을 바탕으로 자석을 연구하다가 지구가 자석이라는 사실을 밝혔다.

16세기 이전까지만 해도 자연철학자와 기술자의 사회적 지위에는 큰 차이가 있었다. 기술자들은 자연철학자들보다 지위가 낮은 것으로 여겨졌다. 하지만 르네상스 시대를 지나면서 대규모 건축이나 항해, 예술, 상업, 군사 등의 분야에서 기술자들의 중요성이 커졌다. 이에 국가가 기술자들을 지속적으로 후원해 기술자의 사회적 지위가 상승했다. 16세기 이후가 되면 자연철학자들은 실제적이고 기술적인 지식들을 체계화하기 위해 기술자들이 쓰던 방법을 이용하기 시작했다. 그 대표적인 예가 엘리자베스 1세 여왕의 주치의였던 영국의 자연철학자 윌리엄 길버트(William Gilbert, 1544~1603)였다.

길버트는 18년간의 자석 연구를 정리해 1600년에 《자석에 관하여》라는 책을 썼다. 이 책에서 길버트는 자석과 자기에 관한 지식을 정리하고 이론 체계를 세웠다. 그는 자연철학자들이 오류에 빠지지 않기 위해서는 실험을 해야 한다고 강조했다. 그는 서문에서 자신이 책을 쓴 목적을 이렇게 밝혔다.

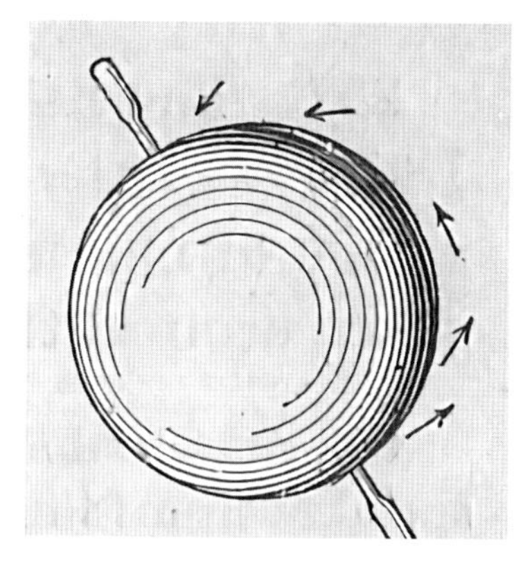

테렐라 커다란 자석으로 만든 지구 모형이다. 길버트는 이 모형으로 지구가 자석이라는 사실을 밝혀낼 수 있었다

지금까지 전혀 알려져 있지 않았던 우리의 모체인 지구, 그 거대한 자석의 고귀한 실체와 우리 지구가 가진 특이하고 탁월한 모든 힘을 더 잘 이해하기 위해서.

-윌리엄 길버트, 《자석에 관하여》(야마모토 요시타카, 《과학의 탄생》, 513쪽)

자기학에서 길버트가 세운 최대의 공적이자 선구적인 업적은 지구가 하나의 거대한 자석이라는 사실을 밝힌 것이다. 지구가 자석일지도 모른다는 가설을 검증하기 위해 길버트는 천연 자철광으로 인공 소지구인 '테렐라(Terrella)'라는 지구 모형을 만들었다. 나침반을 테렐라 주위에서 움직이자 나침반 바늘은 지구 위에서와 똑같은 움직임을 보였다. 연구 대상의 모형을 만들어 성질을 연구한 길버트의 연구 방식은 당시로서는 대단히 혁신적인 것이었다.

길버트의 연구 기반이 된 자료가 바로 노먼의 실험과 책이었다. 특히 노먼이 발견한 복각 개념은 길버트가 지구 자기장을 이해하는 초석이 되었다. 한 기술자의 발견이 자연철학자가 지식을 체계화하는 데 큰 도움을 주었던 것이다. 노먼과 길버트의 관계는 16세기 이후에 기술자와 자연철학자의 관계가 어떻게 변화했는지를 보여주는 좋은 예이다.

전기에도 종류가 있다? 없다!

겨울에 스웨터를 벗다가 머리카락이 옷을 따라 올라가는 경험을 해 보았을 것이다. 스웨터가 마찰로 전기를 띠게 되어 일어나는 일이다. 황갈색 광물인 호박도 문지르면 작은 물체가 달라붙는다. 고대 그리스인들은 이 사실을 알고 있었다. 그래서 전기를 의미하는 영어 단어인 electricity도 호박을 뜻하는 그리스어 elektron에서 만들어졌다.

마찰을 해서 물체가 전기를 띠는 현상을 대전이라고 한다. 모든 물체는 원자로 구성되고, 각 원자는 원자핵과 그 주위를 도는 전자로 구성된다. 원자핵을 돌던 전자가 궤도에서 벗어나 다른 곳으로 이동하면서 전기가 생겨난다. 지금은 모두 이 사실을 알고 있지만, 오랫동안 전기의 정체는 베일에 싸여 있었다.

전기 연구를 본격적으로 시작한 사람은 16세기 말에 자석을 연구했던 길버트였다. 전기와 자기를 구분하기 위해 전기를 연구했던 길버트는 밀도가 극히 낮은 전기소라는 액체가 전기를 매개한다고 생각했다.

18세기에 들어서면서 많은 과학자들은 전기 현상을 실험 대상으로 삼았다. 과학자들은 다양한 실험을 진행했고, 실험을 위한 도구들을 직접 만들었다. 전기 실험은 누구나 쉽게 할 수 있었기 때문에 초기의 전기 연구

그레이의 실험 그레이는 아이를 매달아 유리 막대로 대전하는 실험을 진행했다.

에는 아마추어 연구자들도 적극적으로 참여하였다.

영국 캔터베리 출신의 아마추어 실험가 스티븐 그레이(Stephen Gray, 1666~1736)는 1729년에 전기가 접촉을 통해 꽤 먼 거리까지 전달된다는 것을 발견했다. 그레이는 수많은 물질들을 가지고 전기가 통하는 것과 그렇지 않은 것을 구분하는 실험을 했다. 그는 길이가 1m인 유리 막대를 마찰해 전기를 발생시키고, 전기를 띤 이 유리 막대를 새털과 종이에 가져갔다. 새털과 종이는 유리 막대에 달라붙었고, 사람이 이 막대기에 손을 대면 짜릿한 자극을 느낄 수 있었다.

사람 몸에도 전기가 통하는지 궁금했던 그레이는 고아원에서 한 아이를 데리고 와 실험을 진행했다. 그는 아이를 허공에 매달고 유리 막대로 옷을 문질렀다. 그랬더니 아래에 있던 종잇조각들이 아이를 향해 끌려 올라갔다. 실험이 끝나고 아이의 몸에 묶은 끈을 풀려고 손을 댄 하녀는 엄청난 전기 충격을 받았다고 한다. 그레이는 이처럼 실험을 통해 전기가 쉽게 흐르는 물질인 도체와 전기가 통하지 않는 부도체를 구분해 냈다.

이후 전기학은 프랑스의 샤를 프랑수아 드 시스테르네 뒤페(Charles François de Cisternay du Fay, 1698~1739)가 크게 발전시켰다. 그는 보병 장교였지만 화학자로 변신했고, 마찰을 통해 여러 물체를 대전시켰다. 그 결과 전기를 띤 유리는 전기를 띤 호박을 잡아당기지만, 전기를 띤 유리 조각끼리는 서로 밀어내는 것을 발견했다.

이를 보고 뒤페는 전기에는 수지성과 유리성 두 종류가 있다고 주장했다. 뒤페의 이론에 따르면 호박 같은 물체를 마찰시키면 수지성 전기가 생기고, 유리병과 같은 물체를 마찰시키면 유리성 전기가 생긴다. 수지성 전기와 유리성 전기는 서로 끌어당기지만, 같은 종류의 전기들은 서로 밀친다는 것이다. 뒤페의 주장은 오늘날 '이중 유체 이론'이라는 이름으로 알려져 있다.

벤저민 프랭클린(Benjamin Franklin, 1706~1790)은 뒤페의 이중 유체 이론에 반대하고 전기는 한 종류의 유체로 이루어졌다는 '단일 유체 이론'을 주장했다. 프랭클린은 어떤 물체에 유체가 과잉되면 양전하를 띠고, 유체가 부족해지면 음전하를 띤다고 생각했다. 예를 들어 유리와 비단을 서로 비벼 마찰하면 비단에서 유리로 전기 유체가 옮겨가 유리가 양전하를 띠게 된다.

현대에는 프랭클린의 설명과는 반대로 물체가 전자를 얻었을 때 음전하를 띠고, 전자를 잃으면 양전하를 띤다고 설명한다. 전자가 음전하를 띠기 때문이다. 비록 오늘날과는 다르게 이해했지만 프랭클린은 전기가 양

벤저민 프랭클린 미국의 과학자이자 정치가였던 벤저민 프랭클린은 전기를 연구한 것으로도 유명하다. 그는 전기를 구성하는 유체가 하나의 종류라고 생각했다.

전하와 음전하로 이루어졌다고 주장한 최초의 과학자였다.

오늘날 우리는 마찰 전기를 전자의 이동으로 간단하게 설명한다. 그러나 18세기에는 전자라는 개념이 없어서 지금과 같은 방식의 설명은 불가능했다. 프랭클린이 전기를 유체의 이동으로 해석한 것은 하나도 이상하지 않은 일이었다.

뒤페 : 이중 유체 이론
- 수지성 전기
- 유리성 전기

프랭클린 : 단일 유체 이론
- 유체 과잉 → 양전하
- 유체 부족 → 음전하

오늘날 : 전자의 흐름
- 전자 손실 → 양전하
- 전자 획득 → 음전하

레이던병 전기를 저장할 수 있는 최초의 장치이다. 주석 판과 금속 막대를 이용해 전기를 내부에 보관한다.

전기를 저장하고 수학으로 표현하다

프랭클린이 미국 필라델피아에서 전기를 연구하고 있는 동안 네덜란드의 레이던이라는 곳에서는 놀라운 실험이 진행되고 있었다. 바로 '레이던병'의 발명이었다.

레이던병은 전기를 모아 두는 일종의 축전기이다. 이전까지와는 달리 마찰을 하지 않고도 전기를 만들 수 있고, 전기를 오랫동안 저장할 수 있다는 점에서 이는 매우 획기적인 발명이었다. 레이던병은 독일의 에발트 게오르크 폰 클라이스트(Ewald Georg von Kleist, 1700~1748)와 네덜란드 레이던의 피테르 판 뮈스헨브룩(Pieter van Musschenbroek, 1692~1761)이 각각 독자적으로 비슷한 시기에 발명했다.

레이던병을 만드는 방법은 간단하다. 먼저 유리병의 안쪽과 바깥쪽에 주석 판을 붙인다. 그 유리병에 물을 조금 채우고 철사나 못을 꽂은 코르크 마개로 입구를 막는다. 이때 철사나 못이 아래쪽의 물에 닿아야 한다. 마찰 전기를 띤 물체를 바깥으로 나와 있는 철사나 못에 접촉하면 병이 대전되고, 이 전기는 유리병 안에 보존된다.

레이던병에 전기가 모이는 원리도 간단하다. 음전하를 띤 유리 막대를 레이던병에 꽂힌 못에 대면 전자가 서로를 밀어낸다. 전자는 유리병 안쪽의 주석 판으로 밀려 들어가 유리병 안쪽 주석 판은 음전하를 띤다. 대전된 물체에 닿은 물체의 가까운 면에는 그 반대의 전하가 나타나는 정전기 유도 현상에 의해 바깥쪽 주석 판은 양전하를 띤다. 바깥쪽 주석 판의 양전하 때문에 안쪽 주석 판의 음전하는 도망칠 수 없게 되므로, 전기는 병 내부에 저장된다.

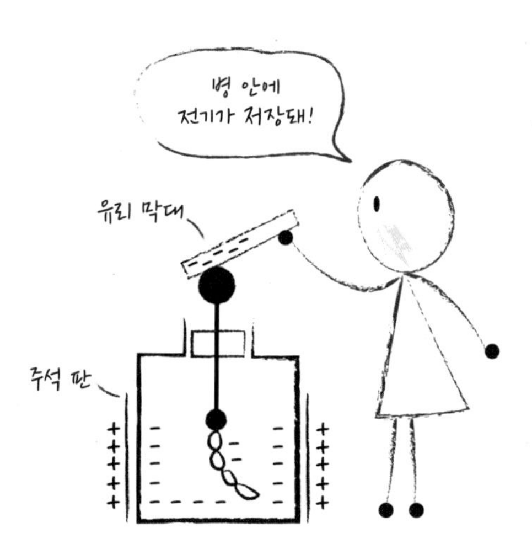

레이던병을 발명한 뮈스헨브룩은 오른손으로 레이던병을 잡고 왼손으로 철사에 스파크를 만들어 내려고 했다. 그때 그는 온몸이 벼락을 맞은 것처럼 떨렸다고 한다. 유리병 안에 모인 전기가 그의 몸을 통해 방전되었기 때문이다. 레이던병은 오랫동안 가장 일반적인 형태의 축전기로 이용되었다.

시간이 흐르자 과학자들은 전기 현상을 정량화하는 방법들을 찾아냈다. 이들은 뉴턴의 보편 중력과 마찬가지로 전기에도 거리에 반비례하는 당기는 힘, 즉 인력이 작용한다는 것을 밝히고자 했다. 이 발견의 영광은 프랑스의 샤를 오귀스탱 드 쿨롱(Charles-Augustin de Coulomb, 1736~1806)에게 돌아갔다.

1785년에 쿨롱은 자신이 발명한 비틀림 저울을 이용해 두 전하 사이에 작용하는 힘의 크기를 측정했다. 같은 종류의 전하들끼리 서로를 밀어내는 힘이 거리에 따라 어떻게 달라지는지를 실험했던 것이다.

쿨롱은 대전된 물체 사이의 거리가 가까워질수록 두 물체가 서로 밀어내는 힘이 커지고, 이와 반대로 멀어질수록 밀어내는 힘이 작아지는 것을 발견했다. 그는 이 연구 결과를 바탕으로 두 전하 사이에서 작용하는 힘은 두 전하의 크기의 곱에 비례하고 거리의 제곱에 반비례한다는 결론을 내렸는데, 이것이 바로 '쿨롱의 법칙'이다.

쿨롱은 쿨롱의 법칙을 세워 전기학에 정량적 기초를 제공했다. 과학자들은 이제 전기 현상을 정량적이고 수학적인 방식으로 표현할 수 있게 되었다.

쿨롱의 법칙

$$\text{두 전하의 인력} = \text{비례 상수} \times \frac{\text{두 전하량의 곱}}{\text{두 전하 사이의 거리}^2}$$

갈바니의 실험 갈바니는 개구리에서 전기가 나온다고 생각했다. 그러나 실제로 개구리는 전기가 흐르는 길이 되었을 뿐이었다.

개구리 뒷다리가 가져온 전기 연구의 새로운 길

전기학이 더 발전하기 위해서는 전기를 새로운 방식으로 이해할 필요가 있었다. 바로 전류 개념이다. 전하가 강물처럼 한 방향으로 흘러가는 것을 전하의 흐름, 즉 전류라고 한다. 전류가 생기려면 전기가 흐르게 하는 장치인 전지가 있어야 한다. 전지가 발명되기 전까지 전기 연구는 마찰 전기, 레이던병 등과 같이 정전기를 대상으로 했다. 전지 개발은 전류 연구가 본격적으로 이루어지는 계기가 되었다.

전지 발명의 초석이 된 중요한 실험이 하나 있다. 바로 이탈리아 볼로냐 대학의 해부학 교수였던 루이지 알로이시오 갈바니(Luigi Aloisio Galvani, 1737~1798)의 개구리 실험이다. 개구리를 해부하던 갈바니는 다리 신경을 수술용 칼로 건드리면 다리가 경련을 일으키는 것을 발견했다. 그와 동시에 테이블 위에 놓인 축전기에서는 전기 불꽃이 튀었다. 갈바니는 칼로 건드릴 때만 이런 현상이 나타난다는 것을 알아채고 원인을 찾으려고 했다. 개구리 다리 근육을 구리 고리로 걸어서 쇠로 된 격자문에 매달았을 때 근육이 떨리는 것을 발견한 갈바니는 1791년에 출판한 책에서 '동물 전기'를 발견했다고 주장했다.

갈바니의 발표는 큰 인기를 끌었고 이후 많은 과학자들은 개구리를 비롯한 다양한 동물로 비슷한 실험을 진행했다. 그 과학자들 중에는 이탈리아 파비아 대학의 물리학 교수이자 갈바니의 친구였던 알레산드로 주세페 안토니오 아나스타시오 볼타(Alessandro Giuseppe Antonio Anastasio Volta, 1745~1827)도 있었다.

볼타는 이탈리아 북부 도시 코모의 가난한 집에서 태어났다. 볼타는 4살 무렵까지도 말을 제대로 못한 늦된 아이였지만 시간이 갈수록 그의 지적 능력은 점점 빛을 발했다. 코모의 공립 학교를 졸업한 볼타는 원래 문학을 좋아했다. 하지만 스코틀랜드 화학자 프리스틀리가 쓴 전기 연구의 역사에 관한 책을 읽고 흥미를 느껴 화학과 물리학을 공부하기 시작했다. 그는 마을 고등학교에서 물리 교사로 있으면서 전지 연구를 계속했다.

볼타 전지 은, 아연, 소금물 적신 판지를 쌓아 올려 만든 전지이다.

볼타는 처음에는 갈바니의 생각에 동조했다. 그는 두 종류의 서로 다른 금속이 개구리 근육에 닿을 때 개구리 근육이 경련을 일으킨다는 갈바니의 실험을 직접 해 보았다. 그런데 같은 종류의 금속을 연결했을 때는 개구리 다리에 경련이 일어나지 않았다.

이에 볼타는 전기가 동물에서 나온다면 금속의 종류에 상관없이 전기가 생성되어야 할 것이라고 생각하고 갈바니의 이론에 의문을 품었다. 그리고 전기의 근원이 개구리가 아니라 금속 자체에 있다는 결론을 내렸다. 개구리는 전기가 있는지를 알려 주는 검전기 역할을 했을 뿐이라는 것이다. 볼타와 갈바니는 동물 전기의 존재를 두고 격렬한 논쟁을 벌였다.

논쟁은 볼타의 승리로 끝났다. 갈바니가 죽은 지 2년이 지난 1800년에 볼타는 전지를 만들어 냈다. 볼타는 은과 아연이 소금 용액 속에서 접촉하면 전류가 흐른다는 사실을 발견했다. 전류를 생성하는 데는 개구리와 같은 생물이 필요 없다는 사실을 보였던 것이다. 이 발견은 물리학자들이 전류를 안정적으로 공급할 수 있게 되었음을 의미했다.

볼타는 전기를 더 강하게 공급할 수 있는 장치를 만들었다. 그는 은과 아연으로 만든 원판과 소금물에 적신 판지를 준비한 다음, 은, 아연, 판지 순서로 쌓아 올렸다. 12겹 이상 쌓고 난 뒤에 마지막은 아연으로 끝나게 했다. 맨 위의 아연과 맨 아래쪽의 은을 금속선으로 연결하면 연속적인 전류가 생성되었다. 은과 아연 원판을 많이 쌓을수록 전류는 더 강하게 흘렀다. 또한 값비싼 은 대신 구리를 사용해도 전류가 잘 흘렀다. 이것이 바로 볼타 전지라고 불리는, 세계 최초의 화학 전지였다.

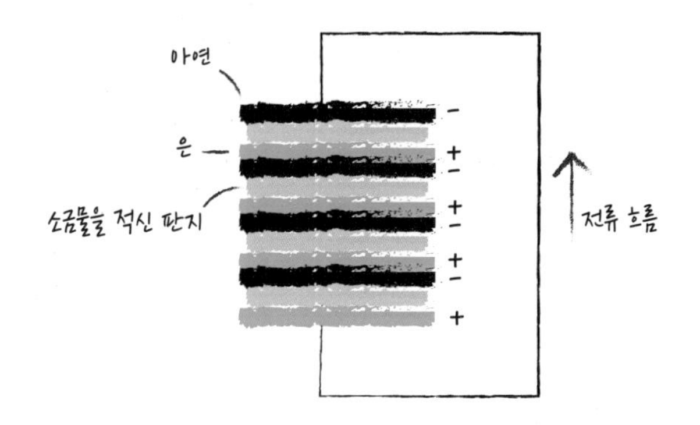

볼타 전지는 어떻게 전류를 만들어 내는 것일까? 어떤 물질이 물에 녹을 때 입자들이 양이온과 음이온으로 나뉘어 전하를 띠는 것을 '이온화'라고 한다. 이온화되는 물질을 전해질이라고 하고, 전해질이 녹으면 전류를 흐르게 할 수 있다. 금속마다 이온화되는 정도가 다른데, 볼타 전지는 이 차이를 이용해 전류를 만든다. 볼타 전지에 이용하는 금속들은 이온화 경향이 서로 다르기만 하면 어떤 것이든 관계없다.

아연과 구리 중에서는 아연의 이온화 경향이 더 크다. 즉 아연이 전자를 더 잘 잃는다. 아연이 양이온이 되어 녹으면 아연이 있던 곳에 상대적으로 전자가 많아진다. 전자가 많은 쪽이 음전하를 띠니 아연이 있는 쪽이 음극이 된다. 따라서 전자가 아연에서 구리 쪽으로 이동하면서 전류가 생성된다.

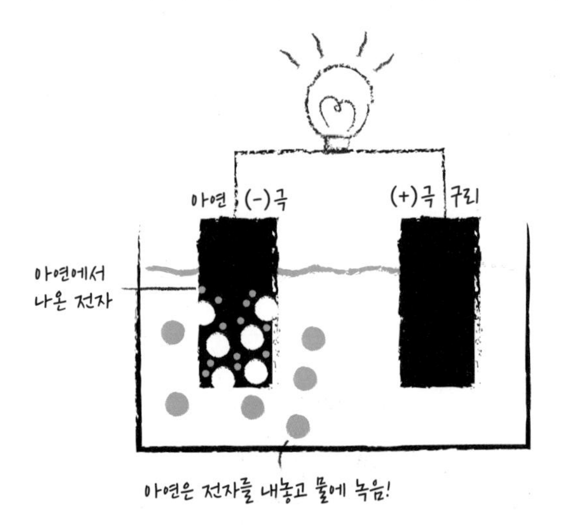

볼타 전지와 그 뒤를 이어 등장한 다양한 전지들은 본격적인 전류 연구를 가능하게 해 주었다. 전류 연구는 자기 연구와 결합해 전자기학의 등장으로 이어졌다.

실험 중인 외르스테드 외르스테드는 전류가 흐를 때 나침반 바늘이 움직이는 현상을 발견했다. 이 발견은 이후 전기학과 자기학을 통합하는 열쇠가 되었다.

전선 옆에 있는 나침반은 왜 움직일까?

도선 주위에서 자석을 움직이면 자기장이 변하고, 자기장이 변화하면 회로에 전류가 생겨난다. 이러한 현상을 '전자기 유도 현상'이라고 한다. 전자기 유도 현상을 이용하면 전지를 연결하지 않아도 전류가 흐르도록 할 수 있다.

과학자들은 19세기 초 덴마크 코펜하겐에서부터 전자기 유도 현상을 이해해 가기 시작했다. 코펜하겐 대학의 교수였던 한스 크리스티안 외르스테드(Hans Christian Ørsted, 1777~1851)는 1820년 학생들과 볼타 전지에 관한 실험을 하던 중 신기한 현상을 발견했다. 전지와 연결된 구리선 주위에 놓아둔 나침반의 바늘이 돌아가는 것이었다. 호기심을 느낀 외르스테드는 전류 방향을 반대로 바꾸어 보았다. 그랬더니 이번에는 나침반 바늘이 180°로 회전했다. 전류가 끊기면 나침반 바늘은 원래대로 남북 방향을 가리켰다.

외르스테드는 전류가 자기를 발생시켜 자석의 움직임에 영향을 주었다는 결론을 내렸다. 1820년 7월 외르스테드는 〈전류가 자침에 미치는 영향에 관한 실험〉이라는 원고를 유럽의 여러 학자들에게 배포했다. 이는 전기와 자기의 연관성에 관한 최초의 과학 보고서였다.

당시 독일에서는 자연을 통합적으로 설명하려는 자연철학이 유행하고 있었다. 18세기에는 이성과 실증주의를 중요하게 생각한 계몽주의가 유행했는데, 계몽주의 사상가들은 뉴턴의 방법론을 좇아 기계적, 실험적, 수학적 자연관을 강조했다. 이에 대한 반발로 18세기 말에 독일에서는 자연철학이라는 철학 사조가 등장했다. 낭만주의와 관념론의 영향을 받은 자연철학주의자들은 계몽주의 사조가 빼앗아 갔던 유기체, 생명 등의 의미를 자연에 다시 부여하고 싶어 했다.

독일의 자연철학주의자들은 자연 세계가 모두 하나로 연결되어 있기 때문에, 다양한 형태로 나타나는 여러 자연 현상들 사이에는 공통점이 있을 것이라고 믿었다. 이들은 인력과 척력이라는 두 힘으로 전기와 자기를 비롯한 모든 현상을 설명할 수 있을 것이라고 생각했고, 빛, 열, 중력, 전기, 자기와 같은 힘들이 모두 연관되어 있으므로 서로 다른 종류의 힘으로 전환될 수 있다고도 생각했다.

외르스테드는 이런 독일 자연철학의 영향을 받았기에 그동안 별개의 것으로 여겨지던 전기 현상과 자기 현상이 서로 연관되어 있을 가능성을 떠올릴 수 있었다. 외르스테드의 발견 이후 유럽의 여러 학자들은 전자기 연구에 뛰어들었다.

그중에 프랑스의 유명한 물리학자 앙드레 마리 앙페르(André-Marie Ampère, 1775~1836)가 있었다. 앙페르는 외르스테드의 발표를 듣고 실험을 직접 해 보았다. 그리고 일주일 만에 전류와 자기장 방향의 관계를 밝혀냈다. 직선 도선에 전류가 흐르면 도선 주위에 자기장이 생긴다. 이때 오른손 엄지손가락을 전류의 방향으로 향하게 하면 나머지 네 손가락은 자기장의 방향을 가리킨다. 이것이 바로 '앙페르의 법칙' 혹은 '오른나사의 법칙'이다.

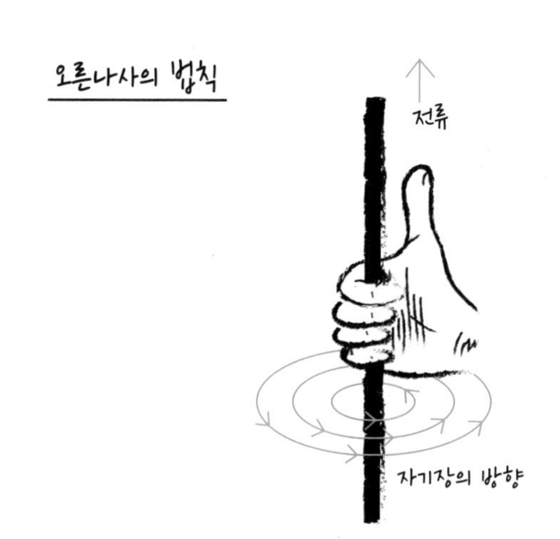

앙페르의 연구는 영국의 물리학자 마이클 패러데이(Michael Faraday, 1791~1867)의 '전자기 유도 법칙' 발견으로 이어졌다. 패러데이는 역사상 가장 위대한 업적을 남긴 과학자들 중 한 명으로, 가난한 집에서 태어났음에도 그 환경을 극복해 낸 것으로 유명하다.

패러데이는 1791년 런던의 빈민가에서 대장장이 아버지와 농부 어머니 사이에서 태어났다. 집이 너무나 가난해 패러데이 가족은 일주일 내내 빵 한 조각으로 버텨야 할 때도 있었다고 한다. 패러데이는 생계를 위해 어렸을 때부터 일을 해야 했다. 그는 13살에 책 가게의 신문 배달 심부름꾼으로 취직을 했다가 얼마 후 그곳의 제본업자 수습생이 되었다.

마이클 패러데이 패러데이는 다양한 실험을 통해 전자기 유도 법칙을 발견했다. 그의 실험은 이후 전자기학의 발전에 큰 영향을 끼쳤다.

패러데이는 제본소에서 만드는 책들을 열심히 읽었다. 그는 책으로 많은 지식을 쌓았는데, 그중에는 과학에 대한 것도 있었다. 충분한 실험적 증거가 없을 때에는 결론을 내리지 말라는 가르침에 따라 없는 돈을 아껴 실험 기구를 구매하기도 했다.

18세기 말부터 영국에서는 대중을 위한 과학 강연이 많이 열렸다. 패러데이는 1812년의 어느 날 그의 성실함에 감동한 손님에게서 과학 강연 입장권을 받았다. 영국 왕립 연구소 주최로 열린 험프리 데이비(Humphry Davy, 1778~1829)의 강연이었다. 험프리 데이비는 유명한 강연자이자 유능한 화학자였다. 패러데이는 볼타 전지에 대한 강연을 열심히 들었고 집으로 돌아와서는 모든 내용을 꼼꼼하게 기록했다. 그는 이 강연을 계기로 평생 과학 연구를 하기로 결심했고, 자신만의 실험실을 가질 꿈을 품었다.

하지만 패러데이의 꿈은 쉽게 이루어지지 않았다. 과학계로 들어가기 위한 그의 시도는 번번이 실패했다. 낙담하고 있던 1813년의 어느 날 패러

⬆ 왕립 연구소 지하에서 실험 중인 패러데이 **패러데이는 데이비의 조수로 일하기 시작했지만, 곧 유명한 연구자가 되었다.**

데이는 "내일 아침에 찾아와 주시겠습니까?"라고 적힌 데이비의 편지를 받았다. 왕립 연구소의 한 용기 세척공이 싸움을 일으켜 해고당했는데, 그 자리를 맡아 주지 않겠느냐는 제의였다.

이전에 패러데이는 자신이 정리한 강연 노트를 책으로 만들어 데이비에게 보낸 적이 있었다. 데이비가 그 열정과 기억력과 집중력을 인상 깊게 보고 패러데이에게 자리를 제안한 것이었다. 혹자는 이를 두고 데이비가 한 최고의 발견은 패러데이였다고 말하기도 한다.

드디어 과학의 세계에 발을 디딘 패러데이는 왕립 연구소에서 새로운 삶을 시작했다. 처음에는 왕립 연구소에서 실험 기구 세척, 실험실 정돈, 데이비의 강연과 공개 실험 준비 등 잡일을 도맡았다. 그러나 오래지 않아 데이비는 패러데이가 지닌 굉장한 재능을 알아보았다. 패러데이는 데이비의 화학 연구를 함께 수행했고, 곧 화학 분야에서 연구자로서의 두각을 드러냈다. 자신의 이름으로 논문도 발표하기 시작했다.

과학자로서 업적을 쌓은 패러데이는 과학의 대중화에도 크게 기여했다. 패러데이는 금요일 저녁마다 대중 강연회를 열었다. 이 강연회의 성공에 힘입어 1825년부터 '아이들을 위한 크리스마스 특별 강연회'를 진행했는데, 이 프로그램은 지금까지도 이어져 내려온다. 패러데이는 많은 강연을 하는 영국 최고의 대중 강연자가 되었고, 그의 강의는 1862년까지 계속되었다. 오늘날 과학 대중화를 고민하는 많은 사람들이 패러데이의 강연을 모델로 참고하고 있다.

1820년, 29살이 된 패러데이는 영국 최고 화학 분석가로서의 위치를 공고히 다져 나가고 있었다. 그런데 덴마크에서 들려온 새로운 소식이 그의 연구 방향을 바꾸어 놓았다. 외르스테드의 발견이 왕립 연구소에도 전해졌던 것이다. 데이비와 패러데이는 큰 충격을 받았고, 즉시 전기와 자기의 관계를 밝히기 위한 실험을 시작했다.

데이비와 패러데이는 외르스테드의 실험을 재연해 보았다. 이들도 외르스테드와 마찬가지로 독일 자연철학의 영향을 받고 있었고, 서로 다른 힘들이 상호 간에 미치는 영향을 알고 싶어 했다. 이들은 외르스테드가 알아낸 사실을 확인했을 뿐만 아니라 전류가 흐르는 도선 주위에 생기는 자기력이 원 모양을 그린다는 것도 알아냈다. 그동안 중력, 자기력, 전기력 등의 힘들이 직선으로 작용한다고 믿었던 이들에게 회전하는 힘의 존재는 놀랍기만 했다.

패러데이는 전류가 자기력을 만든다면 반대로 자기력이 전류를 만들어 낼 수도 있지 않을까 하고 추론했다. 하지만 실험은 쉽지 않았고, 패러데이는 실패를 거듭했다. 그러다가 1831년 8월, 마침내 전자기 유도 현상을 발견하게 된다.

패러데이는 지름이 약 15cm 정도 되는 철 고리를 준비해 양 끝에 따로 구리선을 감아 코일을 만들었다. 그리고 코일의 한 쪽은 전지에 연결하고 다른 쪽은 검류계에 연결했다. 전지의 스위치를 켜자 검류계의 바늘이 움직였지만 바늘은 곧 다시 제자리로 돌아갔다. 스위치를 끄자 검류계의 바늘이 이번에는 반대 방향으로 다시 움직였다. 전지와 연결된 회로에 전류가 흐르자 철심 고리가 자기를 띠었고, 이 자기 변화로 검류계와 연결된 코일에 전류가 생겼던 것이다.

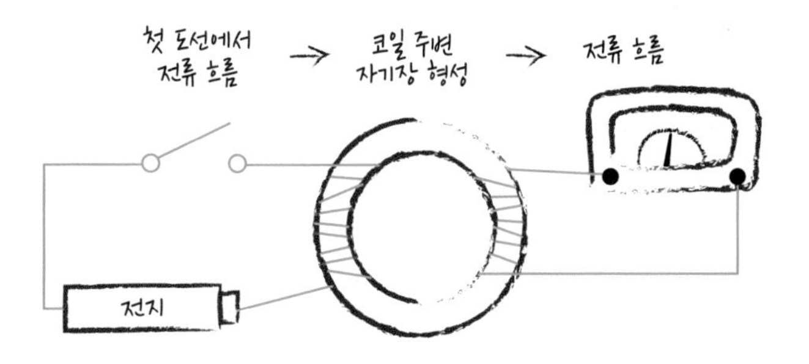

패러데이는 전지가 연결되지 않은 도선에서 전기를 만들었지만, 해결해야 하는 과제도 남아 있었다. 2차 코일에 생긴 전기는 결국 1차 코일에 흐르는 전기를 이용해서 만든 것이었다. 패러데이는 전지를 사용하지 않고 자석만을 이용해서 전류를 만들 방법을 고민하기 시작했다. 그는 머지않아 쉽고 간단한 방법을 찾았다.

패러데이는 막대자석을 코일 안쪽으로 넣으면 검류계의 바늘이 움직인다는 것을 발견했다. 자석을 빼자 이번에는 검류계의 바늘이 반대 방향으로 움직였다. 자석을 넣었다 뺐다 하는 과정을 반복하자 검류계의 바늘은

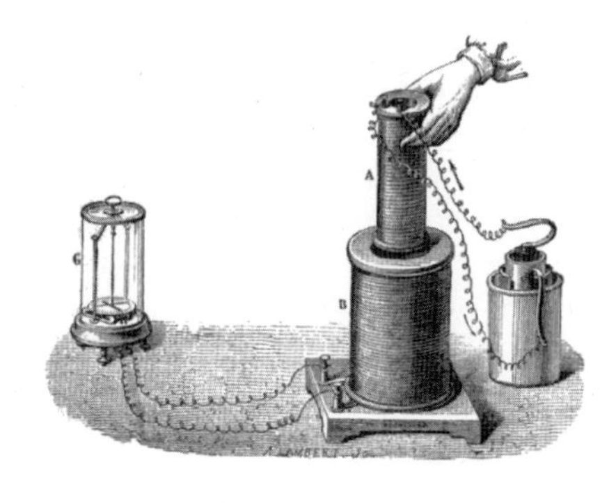

전자기 유도 실험 장치 패러데이는 코일 내부에서 자석을 움직이면 전류가 흐른다는 사실을 발견했다.

격렬하게 좌우로 흔들렸다. 패러데이는 전기를 만들기 위해서는 자석을 움직이기만 하면 된다는 사실을 알아낸 것이었다.

이렇게 코일 주위에서 자석을 움직이면 코일에 전류가 흐르는 것을 전자기 유도 현상이라고 한다. 패러데이에 의하면 전자기 유도 현상은 자기력의 세기가 변화하기 때문에 생겨난다. 이때 유도 전류의 세기는 자석을 움직이는 속도에 비례하고, 자기력의 변화를 방해하는 방향으로 발생한다.

하지만 이런 방식으로 유도한 전류는 연속적으로 흐르지 못했다. 패러데이는 끊기지 않고 계속 흐르는 전기를 만들고 싶어 했다. 그는 프랑스의 물리학자 도미니크 프랑수아 장 아라고(Dominique François Jean Arago, 1786~1853)가 1824년에 실시했넌 실험에서 힌트를 얻었다.

패러데이는 강력한 자석 2개를 조금 떨어뜨려 두고, 그 틈에 구리 원판을 설치했다. 그러자 원판이 회전하는 동안 일정한 양의 전기가 지속적으로 만들어졌다. 패러데이는 전기를 생성할 수 있는 장치, 즉 발전기를 발명한 것이었다.

패러데이가 만든 발전기 **패러데이가 만든 세계 최초의 발전기로 원판을 굴리면 전류가 형성된다.**

패러데이는 전자기 유도 현상을 설명하기 위해 유도된 힘의 방향을 표시하는 선, 즉 '유도 역선' 개념을 도입했다. 자기력이 있는 곳에 나침반을 놓으면 자침은 유도 역선을 따라 곡선 모양으로 정렬된다. 패러데이는 이 유도 역선을 '자기력선'이라고 불렀다.

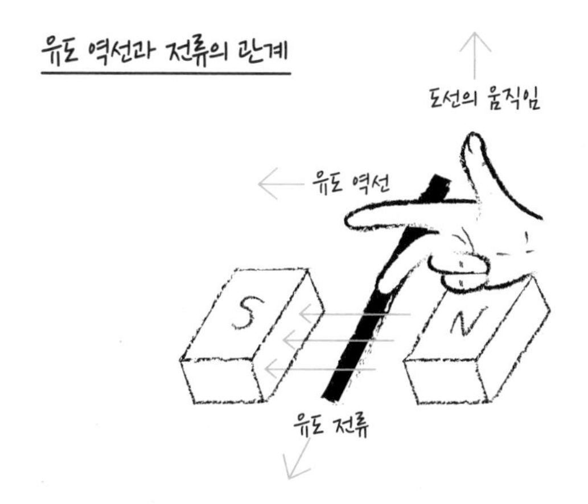

1845년부터 패러데이는 자기 현상을 일어나게 하는 매질이 공간이라고 보고 자기장이라는 개념을 사용했다. 우리가 멀리서 오는 소리를 들을 수 있도록 소리의 파동을 전달해 주는 매질은 공기이다. 패러데이는 소리와 공기의 관계처럼 자기력이 자기장이라는 공간을 통해 전달된다고 생각했다. 하지만 자기장 개념은 학자들 사이에서 쉽게 받아들여지지 못했다. 패러데이가 위대한 실험 과학자이기는 했지만 자신의 이론을 수학적으로 증명하지는 못했기 때문이다. 정규 교육을 받지 못한 패러데이로서는 어쩔 수 없는 한계였다.

모든 전기와 자기 이론이 하나로 통합되다

패러데이의 자기력선과 자기장 개념은 스코틀랜드의 물리학자 맥스웰이 전자기학을 정립하는 데 큰 도움을 주었다. 맥스웰은 앙페르, 패러데이 등이 발전시킨 자기와 전기 연구를 수학적으로 체계화해 전자기 현상을 설명하는 기초 이론을 마련했다. 아인슈타인이 물리학은 맥스웰 이전과 이후로 나뉜다고 말했을 만큼 맥스웰은 19세기 물리학에서 중요한 위치를 차지한다.

맥스웰은 스코틀랜드의 이론 물리학자이자 수학자였다. 에든버러의 유복한 가정에서 태어났는데, 맥스웰의 아버지는 변호사이자 영주였다. 어렸을 때부터 수학, 특히 기하학에 재능을 나타냈던 맥스웰은 14살에 이미 첫 번째 논문을 발표했다. 일반적으로 타원을 그릴 때는 압정 2개를 꽂고 거기에 실을 연결해 그린다. 하지만 맥스웰은 복잡한 고리를 이용해 다양한 종류의 곡선을 만드는 방법을 알아냈다. 맥스웰은 에든버러 왕립 학술원에 이 독창적인 논문을 발표하면서 과학계에 입문했다.

1847년 16살에 에든버러 대학교에 입학한 맥스웰은 3년 후인 1850

대학생 맥스웰 케임브리지 대학교에 다니고 있던 시절의 맥스웰이다. 맥스웰은 어릴 때부터 천재성으로 인정을 받았다.

년 가을부터 수학으로 유명한 케임브리지 대학교의 트리니티 칼리지에 다니기 시작했다. 트리니티 칼리지는 뉴턴이 다녔던 명망 있는 교육 기관이었다. 당시에 케임브리지 대학교를 졸업하려면 수학 트라이포라는 구두시험을 봐야 했는데, 맥스웰은 아주 우수한 성적으로 이 시험을 통과했다.

맥스웰은 졸업 후에도 케임브리지 대학교에 남아 연구를 계속했다. 연구를 계속하던 맥스웰은 점차 패러데이에게 매료되었다. 맥스웰은 패러데이가 제시한 자기력선 개념을 묵살해 버리는 많은 과학자들의 태도가 잘못되었다고 느꼈다. 맥스웰은 패러데이의 실험이 대단히 정확하고, 실험을 바탕으로 한 추론 또한 뛰어나다는 것을 알았다. 정확하고 치밀한 실험에 바탕을 두고 만들어진 패러데이의 이론은 맥스웰에게 도전 의식을 불러일으켰다.

맥스웰은 패러데이의 가설을 수학적 언어로 표현할 방법을 찾는 것을 자신의 연구 목표로 정했다. 그는 패러데이의 생각을 토대로 하는 완벽한

제임스 클러크 맥스웰 **맥스웰은 아인슈타인, 뉴턴과 함께 과학사에서 가장 큰 영향을 끼친 인물이다.**

이론을 세우고 싶어 했다.

1855년에 맥스웰은 트리니티 칼리지의 선임 연구원으로 선출되었다. 하지만 아버지의 건강이 악화되자 1856년에 스코틀랜드로 돌아가 애버딘 대학교의 매리셜 칼리지에서 자연철학 교수가 되었다. 그곳에서 맥스웰은 패러데이의 자기력선을 연구했고, 〈패러데이의 역선에 관하여〉라는 자신의 논문을 60대 중반의 노학자가 된 패러데이에게 보냈다. 패러데이가 맥스웰에게 답장을 보내면서 두 사람은 의견을 나누는 학문적 동지가 되었다. 이즈음 맥스웰은 토성의 고리가 작은 입자들이 모인 것이라는 사실을 증명해 이름을 알렸다.

1860년에 맥스웰은 런던 킹스 칼리지의 교수가 되었다. 그는 기존에 나왔던 전기와 자기 법칙들을 통합해서 설명하기 위해 〈물리적 역선에 관하여〉라는 논문에서 자신만의 에테르 모형을 도입했다. 빛을 파동으로 보던 물리학자들은 빛을 전달하는 매질인 에테르가 공간에 가득 차 있다고 생각하고 있었다. 맥스웰은 이 에테르 개념을 전기와 자기 현상을 설명하는 데 적극적으로 이용했다.

맥스웰의 에테르 모형은 우주를 채운 벌집 모양을 하고 있다. 그는 각각의 벌집, 즉 에테르들이 서로 마찰하는 것을 방지하기 위해 에테르 사이에 전기 입자들이 있다고 가정했다.

전기 입자들이 에테르 사이의 길을 따라 움직이면 전류가 생긴다. 전류가 흐르면 전기 입자들의 움직임 때문에 에테르가 회전하면서 수축하는데, 수축한 에테르는 원래대로 돌아가려는 탄성력을 가진다. 크기는 수축력과 같지만 방향은 반대인 이 탄성력은 자기장에 해당하며, 회전하는 에테르의 수축은 자기력선으로 표현할 수 있다. 맥스웰은 이와 같은 방식으로 전기장과 자기장을 통합하여 설명했다.

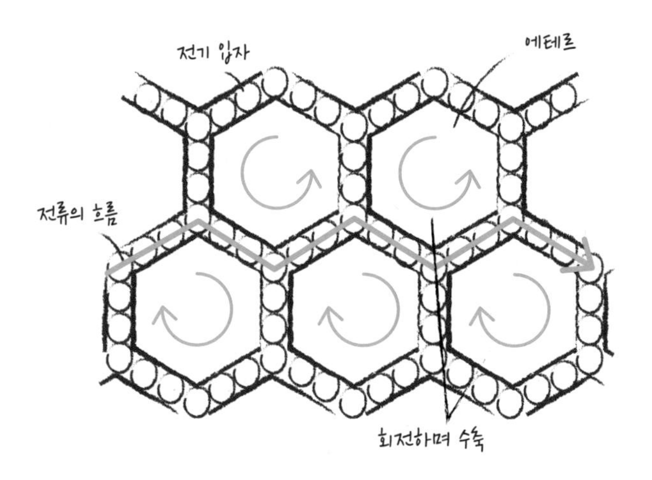

맥스웰은 더 나아가 전자기장을 기술할 통합적 체계를 만들고자 했다. 앞서 쿨롱은 전하를 띤 입자 사이에서 작용하는 힘의 크기를 설명하는 쿨롱의 법칙을 만들었다. 쿨롱의 법칙은 요한 카를 프리드리히 가우스

(Johann Carl Friedrich Gauss, 1777~1855)가 발견한 '가우스의 법칙'과 유사하다. 가우스의 법칙은 전하로 발생되는 전기장의 크기를 수학적으로 나타내는 법칙이다. 또, 가우스는 자기장은 곡면으로 된 자기장이 뚫린 곳 없이 닫힌 폐곡면 모양이며, 자석은 늘 양극과 음극 두 개의 극을 가진다는 '가우스 자기 법칙'도 발견했다. 한편 패러데이와 앙페르는 전기장과 자기장의 상호 관계를 설명하는 법칙을 만들었다.

맥스웰은 쿨롱의 법칙, 가우스의 자기 법칙, 전자기 유도 법칙, 앙페르의 법칙을 모두 통합해 맥스웰 방정식을 완성했다. 1864년의 일이었다.

맥스웰이 정리한 4개의 방정식

전기장에 관한 가우스 법칙(쿨롱의 법칙): 전하의 주위 공간에 전기장 생성

$$\oint_S E \cdot \hat{n} dS = \frac{1}{\epsilon_0} Q$$

자기장에 관한 가우스 법칙: 자기장은 폐곡면. 자석의 극은 2개 이상

$$\oint_S B \cdot \hat{n} dS = 0$$

패러데이의 전자기 유도 법칙: 자기장 변화 → 전기장 생성

$$\oint_c E \cdot dl = -\frac{d}{dt} \int_S B \cdot \hat{n} dS$$

앙페르의 법칙(맥스웰이 수정): 전류의 변화 → 자기장 생성

$$\oint_c B \cdot dl = \mu_0 I + \mu_0 \epsilon_0 \frac{d}{dt} \int_S E \cdot \hat{n} dS$$

맥스웰은 전자기파가 전달되는 방법도 구체화하고자 했다. 맥스웰은 에테르 모형을 바탕으로 전기와 자기가 전달될 때는 파동 형태를 띨 것이라고 생각했다. 전기가 흐르면 도선에서 모든 방향으로 파동이 전파되어

나간다고 추론한 것이다. 맥스웰은 또한 전기장과 자기장은 서로 수직을 이루며 앞으로 나간다고 생각했다. 전기장과 자기장이 변하면서 전달되는 이 파동이 전자기파이다.

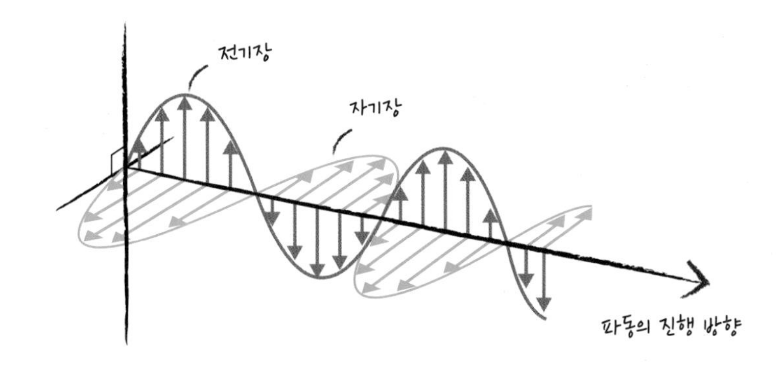

맥스웰은 자신의 방정식을 이용해 전자기파의 속도를 측정했다. 그 결과는 310,740km/s로, 당시 알려져 있던 빛의 속도와 같았다. 이는 빛의 성질이 전자기파의 성질과 같음을 의미했다. 맥스웰은 빛이 곧 전자기파라는 것을 증명한 셈이었다.

맥스웰은 이로써 전기와 자기와 빛을 모두 통합하는 이론 체계를 만들어 냈다. 하지만 전자기와 빛에 대한 맥스웰의 이론이 수용되기까지는 시간이 걸렸다.

1865년 30대 중반의 맥스웰은 교수직을 내놓고 전원생활을 꿈꾸며 고향 마을로 돌아갔다. 6년쯤 지났을 무렵, 맥스웰은 케임브리지 대학교에 막 신설된 실험 물리학 교수직을 맡아 달라는 부탁을 받았다. 19세기 중엽의 영국 대학교 사이에서는 실험을 중심으로 진행하는 수업을 실시하려는 움직

캐번디시 연구소 20세기 초 캐번디시 연구소의 전경이다. 맥스웰이 설계한 케임브리지 대학교의 캐번디시 연구소는 과학 발전에 큰 업적을 남긴 과학자를 여럿 배출했다.

임이 있었다. 케임브리지 대학교도 마찬가지로 실험 중심 수업을 위해 실험 물리학과를 신설하고 그에 맞는 대형 연구소를 지었다. 실험 물리학 강좌를 맡을 교수를 찾던 대학교 측에서 맥스웰에게 연락을 했던 것이다.

맥스웰은 고심 끝에 교수직을 수락했다. 그는 실험실을 설계하고 실험 장비를 검토하는 등 연구소를 갖추는 데 필요한 사항들을 점검했다. 3년 후에 완공된 연구소의 이름은 캐번디시로 정해졌다. 캐번디시 연구소는 이후 노벨상 수상자를 29명이나 배출하는 20세기 최고의 연구소로 자리매김했다.

맥스웰의 전자기 이론, 19세기 과학을 바꾸다

맥스웰은 1873년에 그간의 연구를 종합해 《전기와 자기에 관한 논고》를 출판했다. 이 책은 아직까지도 읽히며, 물리 역사상 뉴턴의 《프린키피아》 다음으로 큰 영향을 끼친 책이 되었다. 맥스웰이 전자기 법칙을 발견한 일은 19세기에 일어난 가장 중요한 과학적 사건이라고 할 수 있다.

맥스웰은 1879년 11월 5일에 세상을 떠났다. 맥스웰이 자신의 주장을 담은 논문을 발표한 지 약 20년 뒤인 1887년에 독일의 물리학자 하인리히 루돌프 헤르츠(Heinrich Rudolf Hertz, 1857~1894)가 실험으로 전자기파의 존재를 확인함으로써 맥스웰의 전자기 이론은 널리 수용되었다.

1687년에 아이작 뉴턴은《프린키피아》를 통해 지상에서의 운동과 천상에서의 운동 모두 똑같이 보편 중력이라는 물리 법칙의 지배를 받는다는 것을 보였다. 그로부터 약 200년 뒤 맥스웰은 오랫동안 서로 다른 현상으로 취급된 전기 현상과 자기 현상을 전자기학이라는 하나의 학문으로 통합시켰다.

이런 성과는 결코 하루아침에 이루어진 것이 아니다. 맥스웰은 패러데이의 이론에 매료된 이후로 10년 이상의 긴 시간 동안 연구 목표를 이루기 위해 계속 노력했다. 그 결과 패러데이의 아이디어와 수학을 결합함으로써 세계를 이해하는 새로운 개념을 제시할 수 있었던 것이다.

또 다른 이야기 | 과학자의 이름, 단위로 남다

과학에서는 에너지, 힘, 질량 등의 크기와 양, 세기를 나타내기 위해 여러 가지 단위를 사용한다. 이런 단위 중에는 그와 관련된 현상을 발견하거나 개념을 정립한 과학자의 이름을 딴 것들이 많다.

예를 들어 전류의 크기를 나타내는 단위인 암페어(A)는 전류와 자기장의 관계를 연구한 앙페르의 이름에서 따왔다. 앙페르는 대전된 물체 사이에서 작용하는 힘의 법칙을 발견했는데, 그의 이름이 전하의 양을 계산하는 단위가 되었다. 1암페어의 전류가 1초 동안 흐를 때 이동하는 전하의 양이 1쿨롱(C)이다. 전자기파의 존재를 증명한 헤르츠의 이름은 진동수를 의미하는 단위가 되었다. 어떤 물체가 1초에 1번 진동하면 1헤르츠(Hz)이고, 60헤르츠는 1초에 60번 진동한다는 의미이다. 전기 저항의 단위인 옴(Ω)도 게오르크 시몬 옴(Georg Simon Ohm, 1789~1854)이라는 물리학자의 이름에서 따왔다.

과학자의 이름을 따온 단위는 전자기학 분야에서만 쓰이는 것이 아니다. 방사능 활동량을 나타내는 국제 표준 단위인 베크렐(Bq)은 우라늄에서 방사선이 나온다는 것을 밝힌 앙투안 앙리 베크렐(Antoine Henri Becquerel, 1852~1908)의 성이다. 아이작 뉴턴을 기념하기 위해 따온 뉴턴(N)이라는 힘의 단위도 있다. 이외에도 줄, 켈빈, 와트 등의 단위들이 과학자의 이름을 따왔다.

이처럼 위대한 과학자들은 큰 족적을 남겼다. 우리는 과학을 공부할 때마다 그 안에 담긴 역사를 매일 마주하는 셈이다.

 정리해 보자 | 전기와 자기의 통합

인류는 먼 옛날부터 전기와 자기 현상에 관심을 가졌다. 하지만 과학자들은 오랫동안 전기와 자기는 완전히 다른 현상이라고 생각했다.

자기 연구는 자석에서, 전기 연구는 마찰 전기에서 시작되었다. 과학자들은 전기에 음전하와 양전하가 있다는 것을 알아냈고, 전기를 모아 두는 레이던병을 발명하기도 했다. 이후 볼타 전지가 발명되면서 인류는 전류를 만들어 낼 수 있게 되었다.

전기 현상과 자기 현상이 서로 연관되어 있다는 것을 알아낸 과학자들은 전류로 자기력을, 자기력으로 전류를 생성하는 방법을 알아냈다. 전자기 유도 현상의 발견은 발전기의 발명으로 이어졌다. 그리고 맥스웰이 마침내 여러 전자기 법칙들을 설명할 수 있는 방정식을 세우고, 빛이 전자기파라는 것을 밝히면서 전자기학이라는 학문이 정립되었다.

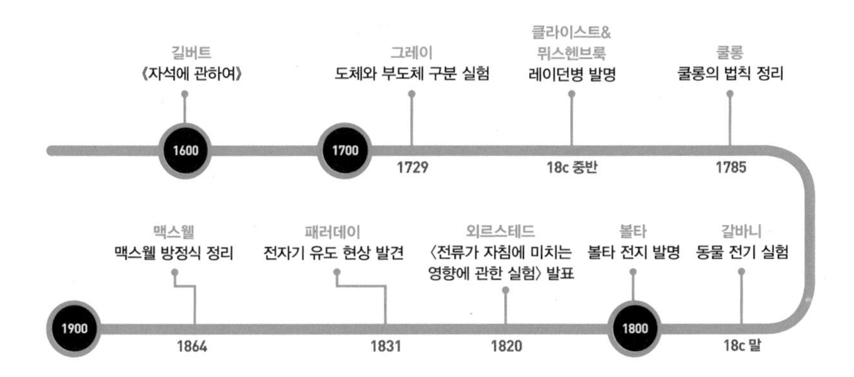

Chapter 6

증기가 기계를 움직일 수 있다니!

에너지 보존 법칙과 열역학

수학이 난해하고 상식에 반한다고 생각하지 말라.
그건 상식을 농축한 것일 뿐이다.
– 윌리엄 톰슨 –

우리가 일상에서 많이 쓰는 에너지라는 과학 용어는 일을 할 수 있는 능력을 뜻한다. 에너지는 다양한 형태로 존재한다. 높은 곳에 있는 물체는 아래로 떨어지면서 다른 물체에게 일을 할 수 있다. 높이 때문에 가지는 에너지를 위치 에너지라고 한다. 빠르게 움직이는 물체에는 운동 에너지가 있어 다른 물체에 일을 해 줄 수 있다.

에너지는 다른 종류의 에너지로 바뀔 수도 있다. 물체가 떨어질 때 위치 에너지가 운동 에너지로 바뀌므로 물체가 있는 높이는 갈수록 낮아지지만 속도는 점점 빨라진다. 땅콩을 태우면 땅콩 속에 들어 있던 화학 에너지가 열에너지로 바뀌며 불이 붙는다.

일과 에너지도 서로 전환된다. 보온병에 물을 넣고 흔들거나, 사포로 나무 표면을 비비면 따뜻해지는 이유는 일이 열로 바뀌었기 때문이다. 증기 기관은 이와 반대로 열에너지로 모터를 돌리는 일을 한다.

19세기 이전까지 사람들은 일과 열은 완전히 다른 현상이라고 믿었다. 18~19세기에 산업 혁명이 진행되며, 과학자들은 증기 기관의 효율을 높이려는 연구를 계속했다. 그 노력 속에서 일과 열이 동등하며 서로 바뀔 수 있다는 생각이 싹트고, 일과 열의 관계를 다룬 열역학이 탄생했다. 열역학을 설명하는 기본 법칙의 정립은 물리학의 탄생으로 이어졌다. 열역학은 우리 주변의 다양한 분야에서 광범위하게 이용되고 있다.

열을 측정할 도구를 만들다

열을 연구하는 열역학이 등장하기 위해서는 먼저 열을 정량적으로 측정하는 도구인 온도계가 있어야 했다. 온도계를 처음 발명한 사람은 갈릴레오로 알려져 있다.

갈릴레오는 1600년경에 공기가 든 유리관을 물이 담긴 그릇 속에 거꾸로 세워 온도계를 만들었다. 방이 따뜻해지자 유리관 속 물의 높이는 내려갔고, 방이 추워지자 물의 높이는 올라갔다. 온도가 높아지면 유리관 속 공기가 팽창하고, 추워지면 수축해 물의 높낮이가 달라졌던 것이다.

이처럼 갈릴레오는 물의 높이를 측정함으로써 온도를 쟀다. 하지만 갈릴레오의 온도계는 온도계라기보다는 오히려 기압계의 원리에 더 가까웠다. 눈금도 없고 기압의 영향도 많이 받았기 때문에 실제적인 측정 도구라고 할 수는 없었다.

1641년에 이탈리아 토스카나 대공이자 갈릴레오의 후원자였던 페르디난도 2세는 갈릴레오의 온도계와 원리는 같지만 좀 더 개선된 온도계를 만들기도 했다. 이 온도계는 기압의 영향을 받지 않게 하기 위해 끝부분을 밀봉했다. 이 같은 기체 온도계는 결국 기압의 영향을 받지 않는 액체 온도계로 대체되었다.

1714년에 네덜란드의 물리학자 다니엘 가브리엘 파렌하이트(Daniel Gabriel Fahrenheit, 1686~1736)는 오늘날 우리가 화씨라고 부르는 온도 체계를 만들었다. 파렌하이트는 처음에 물의 어는점을 30, 체온을 90으로 정했다. 지금 화씨온도 체계 기준은 조금 바뀌어 물의 어는점을 32, 물의 끓는점을 212로 하고 그사이를 180등분 하고 있다. 인간의 정상 체온인

갈릴레오 온도계 처음 갈릴레오의 온도계를 응용해 만든 온도계이다. 기온이 달라지면 유리구 안에 든 물질의 부피가 변해 외부 액체와 밀도 차이가 생겨 뜨거나 가라앉는다.

36.5℃는 화씨온도 체계에서는 97.7°F가 된다.

오늘날 대부분의 나라에서는 화씨온도 체계가 아닌 섭씨온도 체계를 사용한다. 섭씨온도 체계는 스웨덴의 천문학자였던 안데르스 셀시우스(Anders Celsius, 1701~1744)가 제안했다. 셀시우스는 1742년에 물의 어는점과 끓는점을 기준으로 눈금을 100개로 나누었다. 이때 셀시우스는 어는점이 0, 끓는점이 100인 지금의 섭씨온도 체계와는 반대로, 끓는점을 0으로, 어는점을 100으로 잡았다. 우리가 쓰는 섭씨라는 말은 중국인들이 섭씨온도 체계를 받아들일 때 셀시우스의 이름을 섭씨(攝氏, 섭이사)라고 표기한 데서 유래했다.

또 다른 온도 표기법으로는 절대온도가 있다. 화씨온도와 섭씨온도는 물을 기준으로 온도를 측정하기 때문에 과학 연구를 할 때 정량적으로 계산하기 힘들다. 그래서 19세기 영국의 물리학자 윌리엄 톰슨(William Thomson, 1824~1907)은 가능한 가장 낮은 온도인 절대 영도, 즉 -273℃를

0으로 하는 온도 체계를 만들었다. 이를 절대온도라고 한다. 단위는 톰슨의 작위명인 켈빈 남작을 따 켈빈(K)으로 정했다. 국제도량위원회의 온도 측정 기준이 바로 이 절대온도이다.

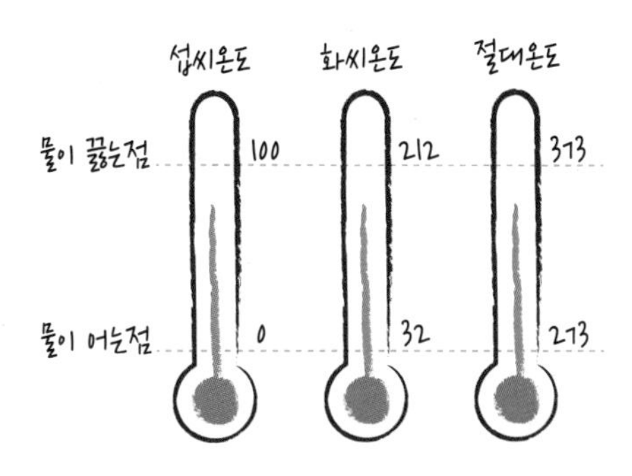

열을 지닌 신비한 물질, 칼로릭

온도계가 생겼다고 해서 열을 이해하게 된 것은 아니다. 오늘날에는 보통 높은 온도를 가진 물체에서 낮은 온도를 가진 물체로 이동하는 에너지를 열이라고 말한다. 그러나 19세기 초까지만 해도 과학자들은 열을 지금과는 다르게 설명했다.

17세기까지 많은 과학자들은 기계적 철학의 영향 아래에 있었다. 기계적 철학은 자연이 입자로 이루어져 있다고 믿는 이론이었고, 그래서 이 시기의 과학자들은 열을 물질 입자들의 운동으로 보았다. 하지만 18세기가 되자 열에 대한 새로운 이론이 떠올랐다. 바로 열을 보이지 않는 물질로 생각하는 칼로릭 이론이었다.

칼로릭 이론에 따르면 열은 흐르는 물질인 유체이다. 뜨거운 물체에서

TABLE OF SIMPLE SUBSTANCES.

Simple fubftances belonging to all the kingdoms of nature, which may be confidered as the elements of bodies.

New Names.	*Correfpondent old Names.*
Light	Light.
Caloric	Heat. Principle or element of heat. Fire. Igneous fluid. Matter of fire and of heat.
Oxygen	Dephlogifticated air. Empyreal air. Vital air, or Bafe of vital air.
Azote	Phlogifticated air or gas. Mephitis, or its bafe.
Hydrogen	Inflammable air or gas, or the bafe of inflammable air.

Oxydable and Acidifiable fimple Subftances not Metallic.

New Names.	*Correfpondent old names.*
Sulphur Phofphorus Charcoal	The fame names.
Muriatic radical Fluoric radical Boracic radical	Still unknown.

《화학원론》 영역본 일부 1789년에 출간된 앙투안 드 라부아지에의 저서로, 칼로릭을 원소로 분류했다.

차가운 물체로 열이 전달되는 현상은 이 신비한 유체가 옮겨 가기 때문에 발생한다. 여기에서 '신비한'은 물리적 성질을 가지고 있지만 어떠한 질량과 무게도 갖지 않는다는 의미이다. 그 신비한 유체를 칼로릭(caloric)이라고 불렀는데, 칼로릭은 당시에 하나의 원소로 여겨졌다. 칼로릭 이론에 의하면 물체가 뜨거울수록 칼로릭을 많이 가지고 있고, 칼로릭이 적을수록 그 물체는 차갑다.

근대역학으로는 한 물체가 멀리 떨어져 있는 다른 물체에 힘을 가하는 원리를 제대로 설명할 수 없었다. 반면에 칼로릭 이론은 온도가 다른 물체들 사이에서 열이 흐르는 현상을 매우 잘 설명했기 때문에 많은 과학자들이 이를 수용했다.

신비한 유체로 자연 현상을 설명하는 방식이 열 분야에서만 나타난 것은 아니었다. 과학자들은 설명하기 힘든 자연 현상을 칼로릭과 비슷한 유체로 설명했다. 빛은 빛 입자, 전기는 전기 유체, 그리고 연소는 플로지스톤이라는 신비한 유체가 관여한다고 생각했다.

칼로릭 이론을 믿었던 과학자들은 물체의 온도나 상태 변화도 칼로릭의 흡수와 방출로 설명했다. 칼로릭 이론에 따르면 얼음을 이루는 물질 입자와 칼로릭이 결합해 고체 상태이던 얼음이 액체인 물로 변한다. 마찬가지로 액체가 칼로릭과 더 많이 결합하면 물질의 부피가 커지며 기체가 된다. 또 두 물체를 마찰시키면 물체 속에 들어 있던 칼로릭이 빠져나오며 열이 생긴다.

칼로릭의 특징 : 열 O, 무게 X, 질량 X
얼음 + 칼로릭 = 물
물 + 칼로릭 = 수증기

칼로릭 이론에도 허점은 있었다. 특히 두 물체를 문질러 마찰열을 발생시키는 경우가 문제였다. 마찰열은 두 물체 속에 들어 있는 칼로릭이 빠져나오는 현상이었으니, 만약 두 물체를 계속 마찰시켜 칼로릭이 소진되면 더 이상 열이 발생하지 않아야 한다. 하지만 마찰열은 계속해서 생겨났다. 칼로릭 이론으로는 이 현상을 설명하기 어려웠다.

영국 물리학자 벤저민 톰프슨(Benjamin Thompson, 1753~1814)은 왕의 명령을 받아 대포를 만들고 있었는데, 철을 깎는 중에 열이 엄청나게 발생하는 것을 보았다. 톰프슨은 철이 깎이면서 칼로릭이 빠져나온다고 보기에는 열 발생량이 너무 많다고 생각했다. 그러면서 철을 깎는 운동 자체가 대포의 입자에 전달되어 열이 발생한다고 추측했다.

이처럼 톰프슨을 비롯한 몇몇 과학자들은 열이 칼로릭이 아니라 물질 입자들의 운동일지도 모르겠다고 추측하기 시작했다. 그렇지만 19세기 초까지도 대부분의 과학자들은 열을 칼로릭이라는 '무게가 없는 신비한 물질 입자'라고 믿고 있었다.

카르노, 증기 기관의 원리를 연구하다

19세기 초에 과학자들은 칼로릭 이론을 바탕으로 열효율 문제를 수학적으로 나타내려고 시도했다. 당시는 산업 혁명이 한창 진행 중인 때였기 때문에 과학자들은 기계를 효율적으로 돌릴 수 있는 방법을 고민했다. 그 당시 가장 보편적으로 쓰인 기계 장치가 증기 기관이다. 증기 기관은 석탄을 태워 수증기를 뜨겁게 달군 다음, 수증기가 가진 열에너지를 일로 바꾸는 장치이다.

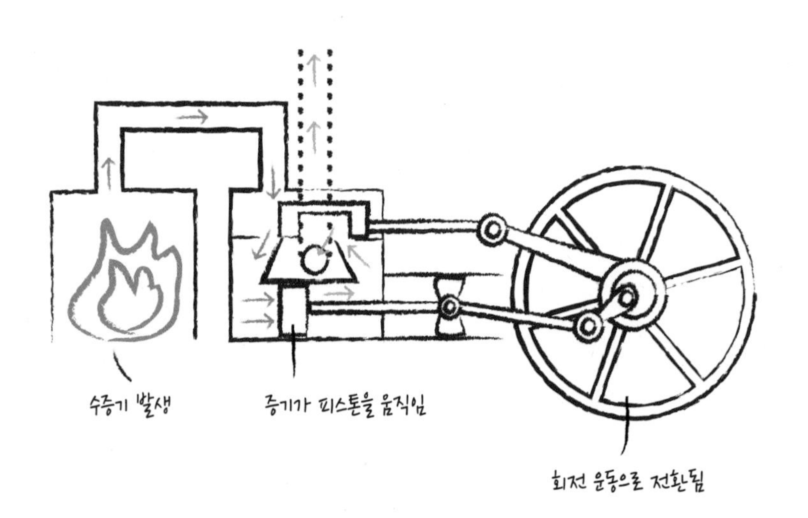

증기 기관 증기 기관은 산업 혁명 당시 가장 보편적으로 쓰였던 기계 장치이다. 석탄을 태운 열 에너지를 동력으로 사용한다.

영국에서 공업이 급속히 성장하면서 증기 기관의 사회적 중요도가 점점 커지자, 영국의 경쟁국이었던 프랑스에서도 증기 기관에 대한 관심이 더욱 커져 갔다. 일정량의 석탄, 즉 열을 사용했을 때 증기 기관이 얼마만큼의 일을 할 수 있을지를 이론적으로 연구하는 사람들도 늘어났다. 그중 한 명이 프랑스의 물리학자이자 젊은 엔지니어였던 니콜라 레오나르 사디 카르노(Nicolas Léonard Sadi Carnot, 1796~1832)이다.

시민 혁명이 일어난 1780년대부터 프랑스에는 교육 제도를 개혁하기 위한 노력의 일환으로 전문 교육 기관들이 생겨났다. 전문 과학 교육 기관도 여럿 설립되었는데 그중 1794년에 창립된 에콜 폴리테크니크가 가장 성공적이었다. 에콜 폴리테크니크는 당대의 일류 과학자들이 교수진으로

니콜라 레오나르 사디 카르노 **카르노는 효율적인 증기 기관을 만들기 위해 일과 열의 관계를 연구했다. 그의 이론은 열역학 연구의 토대가 되었다.**

있었고, 과학과 수학 전문 교육을 실시했다. 19세기 초부터 프랑스를 시작으로 과학자는 전문 직업이 되었고, 특히 에콜 폴리테크니크 출신의 우수한 과학자들은 프랑스 과학계에서 중요한 역할을 담당했다. 사디 카르노도 에콜 폴리테크니크 출신이었다.

카르노는 열기관이 작동하는 과정을 분석해 칼로릭의 운동을 추적하려 했다. 열이 일로 바뀌는 정확한 지점을 알아내려고 한 것이다. 이는 열기관의 원리를 이해해 좀 더 효율적인 기관을 만들려는 노력의 일환이었다. 열에 대한 이론적 연구는 증기 기관에 대한 관심에서 시작되었다.

카르노는 철저하게 칼로릭의 운동이라는 관점에서 증기 기관의 원리를 해석했다. 카르노에 따르면 석탄을 때면 석탄에서 칼로릭이 나오고, 이 칼로릭은 증기와 결합해 차가운 물이 있는 쪽으로 이동한다. 차가운 물과 만난 칼로릭이 물로 옮겨 가면 물이 데워진다. 물에서 나온 수증기가 팽창하고 압축하면 기관 내부의 피스톤이 움직이면서 일을 한다.

카르노는 이 과정에서 칼로릭은 소비되지 않고 단지 뜨거운 증기에서 차가운 물 쪽으로 이동할 뿐이라고 했다. 일은 칼로릭의 소비가 아니라 칼로릭의 이동으로 생겨난다고 생각했던 것이다. 오늘날의 관점에서 보면 열이 보존된다는 카르노의 이론은 틀렸다. 열은 변환 과정에서 감소하고, 실제로 보존되는 것은 열이 아니라 전체 에너지이다. 하지만 이런 한계에도 불구하고, 일을 열의 이동으로 간주한 것은 중요한 의미를 지닌다. 카르노의 이론은 나중에 열역학이 등장하는 데 중요한 역할을 한다.

카르노의 열효율 이론은 다음과 같다. 높은 곳에 있는 물은 아래로 떨어지면서 자신이 가지고 있던 위치 에너지를 이용해 물레방아를 돌린다. 이때 물의 양 자체는 변하지 않는다. 카르노는 이와 마찬가지로 칼로릭이 뜨거운 물체에서 차가운 물체로 이동하며 일을 하지만 칼로릭의 양은 변하지 않는다고 생각했다.

증기 기관이 일을 할 수 있는 능력이 칼로릭 자체에 있다면 칼로릭은 소모될 것이다. 만약 칼로릭이 소모되지 않는다면, 일을 할 수 있는 능력은 칼로릭 자체가 아니라 칼로릭의 이동에서 나온다고 추론할 수 있다. 그렇다면 열기관이 일을 할 수 있는 능력, 즉 열효율은 칼로릭의 이동이 잘 될수록 커질 것이다.

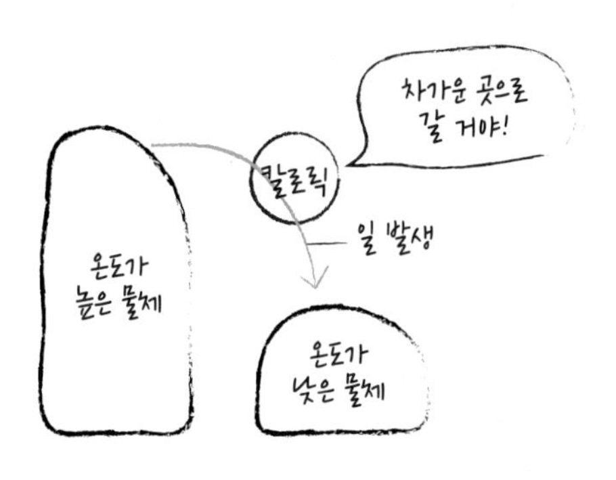

칼로릭은 온도 차이가 클수록 많이 흐를 테니, 결국 두 물체 사이의 온도 차이가 열효율을 결정하게 될 것이다. 물의 낙하 길이가 길수록 더 많은 일을 할 수 있는 것처럼, 온도 차이가 클수록 칼로릭의 이동량이 많아 일을 더 많이 할 수 있다. 바로 이것이 '카르노의 원리'이다.

카르노는 이러한 주장을 담은 짧은 논문 〈열의 원동력에 관한 고찰〉을 1824년에 발표한다. 하지만 카르노의 주장은 발표 당시에는 별로 주목을 받지 못했다. 카르노가 자신의 논문을 기술자들이 주로 읽는 공학 전문 학술지에 발표를 했기 때문이다. 그러니 물리학자들은 카르노의 논문을 읽을 기회가 없었고, 반대로 기술자들은 카르노의 논문이 너무 이론적인 문제를 다루고 있다고 여겨 관심을 두지 않았다. 카르노의 업적은 약 25년 동안 사람들의 눈에 띄지 못한 채 방치되어 있다가 1840년대에 가서야 물리학자들 사이에서 다시 논의되기 시작했다.

세 과학자가 동시에 에너지 보존 법칙을 만들다

물리학자들이 드디어 카르노에게 관심을 가졌을 즈음에는 이미 칼로릭 이론은 거의 쇠퇴한 상태였다. 1830년대부터 역학적 에너지나 열, 화학 에너지 등 여러 가지 형태의 에너지가 서로 변환될 수 있다는 생각이 자라났다. 그런데 칼로릭 이론으로는 역학적 에너지와 열의 전환을 설명할 수 없었다.

이런 변화에는 18세기 말부터 독일을 중심으로 퍼졌던 자연철학의 영향이 컸다. 자연 세계가 모두 연결되어 있다고 믿은 자연철학주의자들은,

자연 현상에 통일성을 부여하는 그 무엇을 에너지라고 불렀다. 에너지가 전기, 자기, 빛, 소리, 열, 화학 및 역학 현상 등 여러 형태로 나타난다고 생각했던 것이다. 이러한 분위기 속에서 '에너지 보존 법칙'이 탄생했다.

에너지 보존 법칙은 다양한 형태의 에너지들이 서로 변환될 수 있지만, 에너지의 총량은 변하지 않는다는 법칙이다. 역학적 에너지는 열에너지로 전환될 수 있고 열에너지는 역학적 에너지로 전환될 수 있다.

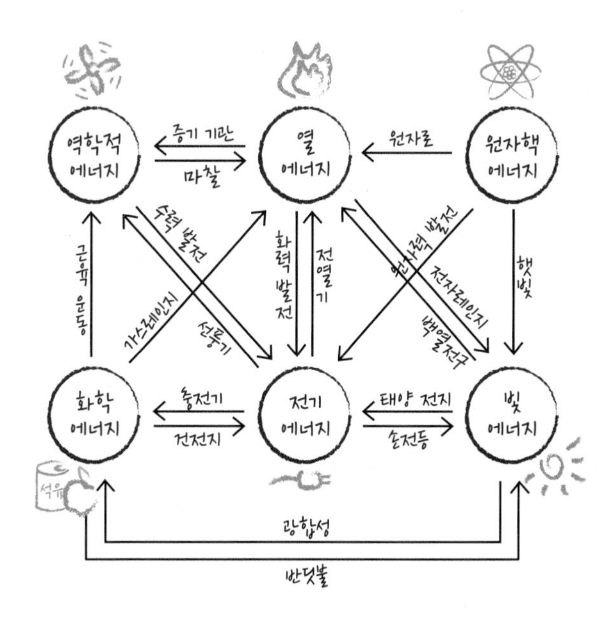

보편 중력의 법칙 하면 누구나 뉴턴을 떠올리고, 상대성 이론 하면 누구나 아인슈타인을 떠올린다. 하지만 이와 달리 에너지 보존 법칙의 발견에서는 세 사람의 이름이 동시에 거론된다. 여러 사람들이 동시에 개입되어 있기 때문이다.

제임스 프레스콧 줄 줄은 에너지 보존 법칙을 발견한 세 사람 중 한 명으로, 물갈퀴로 열을 발생시키는 실험을 했다.

그중 한 사람은 영국의 제임스 프레스콧 줄(James Prescott Joule, 1818~1889)이다. 에너지와 일을 나타내는 단위인 줄(J)이 바로 그의 이름을 따서 붙여졌다.

줄은 1818년 크리스마스 전날 영국에서 태어났다. 원자론을 만들어 낸 과학자인 존 돌턴에게서 어렸을 때 몇 년 동안 개인 교습을 받기도 했지만, 대부분 독학을 했다. 양조장을 경영했던 줄의 아버지는 그에게 개인 실험실을 만들어 주었다. 일하지 않고도 지낼 수 있을 만큼 부유했던 줄은 실험과 연구에 집중했다. 그는 일찍이 측정의 중요성을 인지했기에 정확한 데이터에 바탕을 두고 연구를 진행했다. 비록 독학으로 과학을 공부하기는 했지만, 그는 정확히 사고하는 능력을 바탕으로 큰 성취를 이룰 수 있었다.

전자기 연구에 열정을 가지고 있었던 줄은 전기 모터의 효율이 어느 정도 되는지 알아내고 싶어 했다. 그리고 전기 모터 연구에서부터 점차 열과 일에 관한 일반적인 연구로 나아갔다. 독일 자연철학의 영향을 받고 있었

줄의 실험 장치 물갈퀴가 움직여 물을 데우는 장치로, 일이 열로 전환된다는 것을 증명했다.

던 줄은 열과 일을 하나의 체계로 정량화하는 방법을 찾아내려고 했다.

여러 시도 끝에 마침내 줄은 1845년에 '물갈퀴 달린 바퀴 실험'으로 알려진 실험 장치를 고안해 냈다. 물통 속에 수평으로 회전하는 작은 물갈퀴가 있는 장치였다. 추가 낙하하면 통 속에 있는 물갈퀴가 회전하면서 물을 휘젓는다. 그러면 날개와 물이 마찰해 열이 발생하고, 결국 물의 온도가 올라간다. 이 장치에서 물의 온도 변화를 측정하면 물이 얻은 열량을 계산할 수 있다. 줄은 실험을 해석하면서 "물체의 마찰으로 발생한 열량은 소비된 일의 양(추가 낙하하면서 한 일의 양)에 비례한다."라는 결론을 내렸다. 오늘날의 방식으로는 추가 가지고 있던 위치 에너지가 물갈퀴의 운동 에너지로 전환되었고, 이 운동 에너지가 다시 열에너지로 바뀌었다고 설명할 수 있다.

줄은 자신이 실험으로 한 종류의 에너지가 다른 종류로 변환될 수 있음만이 아니라 에너지가 보존된다는 사실도 증명했다고 확신했다. 줄은 일과 열이 서로 끊임없이 바뀌어서 여러 자연 현상이 일어난다고 주장했다.

율리우스 로베르트 폰 마이어 **의사였던 마이어는 생체 대사를 연구하다가 에너지들이 서로 변할 수 있다는 사실을 깨달았다.**

줄은 신실한 기독교인이었기에 그에게 신앙심은 중요한 연구 계기였다. 줄은 신이 힘과 물질을 창조한 이래 어느 것도 새로 창조되거나 파괴될 수 없음을 보여 주려는 연구 목적을 가지고 있었다. 이는 줄이 1843년에 했던 말을 보면 알 수 있다.

> 나는 지체없이 이 실험들을 반복하고 확장하고자 한다. 창조주의 명령에 의해, 자연의 위대한 힘은 파괴할 수 없으며, 역학적 힘이 소모되는 곳에서는 어디에서나 그에 상응하는 만큼의 열이 얻어진다는 것에 만족하면서.
>
> -제임스 프레스콧 줄, 〈자기전기학에서의 칼로리 효과와 열의 역학적 가치에 대하여〉

영국에서 줄이 실험으로 에너지 연구를 하는 동안 독일의 의사이자 물리학자였던 율리우스 로베르트 폰 마이어(Julius Robert von Mayer, 1814~1878)는 또 다른 각도에서 에너지 보존 법칙에 접근하고 있었다. 마이어는 의사로서 생물의 활동 원리를 연구하는 생리학에 많은 관심을 두

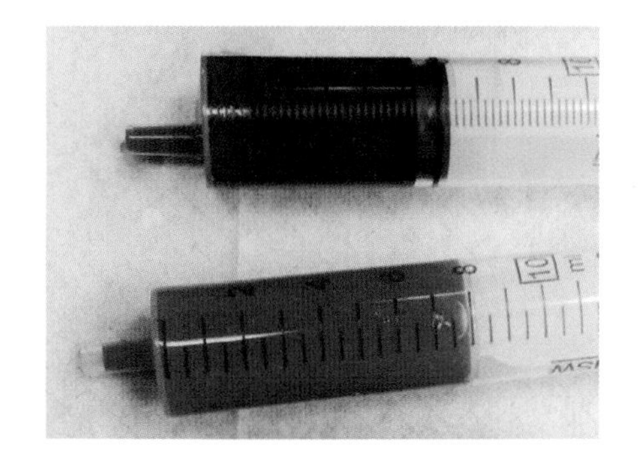

정맥혈과 동맥혈 **일반적으로 산소를 소진한 정맥혈은 새로 산소를 받아 운반하는 동맥혈보다 색깔이 훨씬 어둡다.**

고 있었다. 마이어는 열대 지방을 탐험하면서 얻은 경험 때문에 일과 열의 관계를 연구하기 시작했다.

마이어는 1840년에 자바호라는 배를 타고 네덜란드 동인도 회사로 가던 중 특이한 현상을 관찰했다. 자바호의 전속 의사로 일하고 있었던 마이어는 폐병에 걸려있는 선원의 피를 검사했다. 그는 선원의 정맥혈이 이상하리만치 붉다는 점을 발견했다. 일반적으로 산소를 소진한 정맥혈은 새로 산소를 운반하는 동맥혈보다 어두운데도 말이다. 마이어는 배를 탄 다른 동료들의 정맥혈도 거의 동맥혈처럼 보일 정도로 붉다는 것을 알아냈다.

그는 열대 지방의 열기가 피의 색깔과 연관이 있을지도 모른다고 생각했다. 따뜻한 지방에서는 체온을 유지하는 데 더 적은 열이 들고, 체온 유지를 위해 쓰는 산소량도 다른 곳에서보다 적을 것이다. 마이어는 그러면 혈액 속에 산소가 많이 남아 있게 되므로 정맥의 피가 다른 지역에서보다 상대적으로 더 붉을 것이라고 결론을 내렸다. 마이어는 이 일로 신진대사와 열, 그리고 일의 관계를 진지하게 고민하게 되었다.

마이어는 음식물이 몸 안으로 들어가 열로 변하고 이것이 몸을 움직이는 역학적 에너지로 변한다는 생각에 기초해, 모든 종류의 에너지들이 서로 변화 가능하며 전체 에너지의 양은 보존된다고 주장했다. 낙하와 운동, 그리고 열 사이의 상관관계를 예로 들어 보자. 마이어의 이론에 따르면 어떤 물체가 지구를 향해 낙하하는 동안에는 열이 발생한다.

오늘날에는 물체와 공기의 마찰로 열이 생겨났다고 설명하지만 마이어의 설명 방식은 다르다. 그의 이론에 따르면 물체가 낙하하면 지구의 부피가 줄어드는데, 이 수축으로 열이 발생한다. 이때 생성되는 열의 양은 물체의 무게와 낙하하는 높이에 각각 비례한다. 한 에너지가 형태만을 바꾼 것이기 때문에 원래 가졌던 에너지만큼의 열이 발생하는 것이다. 하지만 이런 마이어의 주장은 당시에는 받아들여지지 않았고 냉담한 반응만을 받았다.

줄, 마이어와 더불어 에너지 보존 법칙을 발견한 것으로 인정받는 또 한 사람은 독일의 과학자이자 철학자인 헤르만 폰 헬름홀츠(Hermann von Helmholtz, 1821~1894)이다. 헬름홀츠는 군대에서 몇 년 동안 외과의로 복무하면서 근육과 열에 대한 실험을 수행했다.

헬름홀츠는 1847년에 생명체의 열은 음식물 속에 들어 있던 화학 에너지가 바뀐 것이라는 주장을 내놓았다. 헬름홀츠는 여러 형태의 에너지들이 서로 변환 가능할 뿐만 아니라, 에너지 보존 법칙이 역학적 에너지 외에 다른 형태의 에너지까지 포함한다고 보았다. 즉, 에너지 보존 법칙이 전체 자연계에 적용된다고 생각했던 것이다.

마이어의 주장이 그랬던 것처럼 헬름홀츠의 주장이 담긴 논문도 당시에 크게 환영받지는 못했다. 하지만 과학자들은 점차 헬름홀츠의 주장에

헤르만 폰 헬름홀츠 **헬름홀츠는** 다양한 형태의 에너지들이 에너지 보존 법칙의 영향을 받는다고 주장했다.

관심을 기울이기 시작했다.

열역학 제1법칙으로 알려진 에너지 보존 법칙은 이처럼 여러 학자들의 노력으로 밝혀졌다. 오늘날에는 에너지 보존 법칙을 줄, 마이어, 헬름홀츠가 동시에 발견한 것으로 인정한다.

열역학 제1법칙 - 에너지 보존 법칙

에너지들은 형태를 바꿈

전체 에너지양은 일정

과학사에서는 이처럼 여러 사람이 동시에 같은 발견을 하는 경우가 종종 있다. 미적분학이나 자연 선택에 의한 진화 이론이 그 예이다. 이런 동시 발견 현상이 나타나는 이유는 과학적 발견이 이전의 연구 성과와 사회적 맥락에 영향을 받기 때문이다.

보통 과학적 발견은 이전의 특정한 과학적 성과를 바탕으로 이루어지고, 앞선 연구가 없다면 후속 연구는 나오기 어렵다. 그래서 앞선 연구를 토대로 한 연구들은 비슷한 방향성을 지니게 된다. 또한 사회적 필요성이 과학자들에게 비슷한 연구 과제를 던지기도 한다. 산업 혁명으로 증기 기관 연구의 필요성이 대두되어 많은 이들이 열을 연구한 것이 그 한 예이다. 18세기 말 독일에 자연철학이 유행해 과학자들이 자연의 통합적 설명 방식을 찾으려고 한 것도 사회적 맥락이 영향을 끼친 예라고 할 수 있다. 선행 연구와 사회적 분위기, 당대의 철학적 요구로 과학자들이 비슷한 시기에 비슷한 연구를 하게 되면서 같은 과학적 발견을 동시에 하는 일이 일어난다고 볼 수 있다.

계속해서 증가하는 우주의 혼돈, 엔트로피 개념이 탄생하다

줄, 마이어, 헬름홀츠가 동시에 열역학 제1법칙을 발견한 것처럼 '열역학 제2법칙'도 두 과학자가 발견했다. 한 사람은 아일랜드에서 태어난 영국 물리학자 윌리엄 톰슨이고, 다른 사람은 독일 물리학자 루돌프 율리우스 에마누엘 클라우지우스(Rudolf Julius Emanuel Clausius, 1822~1888)이다.

카르노나 줄이 그랬던 것처럼 톰슨도 열기관의 효율성을 증가하는 방법을 찾고자 했다. 톰슨은 카르노의 칼로릭 이론과 줄의 에너지 전환 실험을 살펴보다가 이들의 이론이 서로 모순된다는 것을 발견했다. 줄에 의하면 열은 일로 전환된다. 그렇다면 전환 후에 원래 있던 열은 줄어들어야 한다. 반면 카르노는 칼로릭은 소비되지 않고 온도가 높은 물체에서 낮은 물체로 이동하기만 한다고 했다. 일을 하고도 칼로릭, 즉 열은 보존된다는 이야기이다. 이것은 카르노나 줄, 둘 중 한 사람은 틀렸다는 것을 의미했

윌리엄 톰슨(좌)과 루돌프 클라우지우스(우) **톰슨과 클라우지우스는 서로의 논문에 영향을 받으며 동시에 열역학 제2법칙을 만들어 냈다.**

다. 톰슨은 둘 중 하나가 틀렸음을 보이거나 두 이론 모두를 포괄하는 설명 체계를 찾아야만 했다.

클라우지우스도 톰슨과 같은 고민을 하다가 카르노와 줄의 모순을 해결할 수 있는 방법을 찾아냈다. 클라우지우스는 높은 온도에서 낮은 온도로 열이 흐를 때 일이 생긴다는 카르노의 주장과, 일은 열이 변환되어 생긴다는 줄의 주장을 모두 수용했다. 단, 열이 보존된다는 카르노의 이론은 버렸다.

1850년에 클라우지우스는 자신의 이론을 담은 논문을 발표했다. 논문에 따르면 열은 높은 온도에서 낮은 온도로 이동하는 과정에서 방출되며 일로 바뀐다. 열은 자연스러운 상태에서는 높은 곳에서 낮은 곳으로 흐르니, 그와 반대로 차가운 물체를 뜨겁게 만들기 위해서는 외부의 인위적인 영향이 필요하다. 열을 공급하거나 일을 해 주어야 하는 것이다.

톰슨은 먼저 논문을 펴낸 클라우지우스의 우선권을 인정하면서도 1851년에 열역학의 기틀을 마련하는 이론을 담은 일련의 논문들을 발표했다. 톰슨 역시 일과 열이 변환한다는 줄의 생각과, 열이 높은 온도에서 낮은 온도로 이동할 때만 일이 가능하다는 카르노의 주장을 받아들였다.

톰슨은 이를 바탕으로 외부에서 일을 해 주지 않는 한 열이 차가운 물체에서 뜨거운 물체로 스스로 옮겨갈 수 없는 이유를 설명했다. 바로 열이 낭비되기 때문이라는 것이었다. 뜨거운 쪽에서 차가운 쪽으로 열이 이동하는 과정에서 열이 낭비되기 때문에, 열이 일로 전환될 수 있는 가능성도 점차 줄어든다. 이것이 바로 열역학 제2법칙이다.

톰슨은 이전의 다른 과학자들과는 달리 에너지 개념을 중심으로 이러한 사고를 전개해 나갔다. 전기, 빛, 자기, 일, 열 모두를 아우르는 통일된 설명 체계를 에너지의 개념을 통해 만들려고 했던 셈이다.

여기에서 더 나아가 1865년에 클라우지우스는 '엔트로피(entropy)'라는 개념을 이용해 열역학 제2법칙을 수학적으로 정립했다. 클라우지우스가 생각한 엔트로피는 물체가 지닌 열에너지, 즉 열량을 온도로 나눈 수치였다.

열은 높은 온도에서 낮은 온도로 움직이기 때문에 온도는 늘 낮아질 뿐, 높아지지 않는다. 온도가 낮아지니 엔트로피는 언제나 증가한다. 우주의 엔트로피는 계속 증가한다는 이 주장이 바로 열역학 제2법칙이었다. 이렇게 클라우지우스는 열역학을 설명하는 2개의 기본 법칙 중 하나인 열역학 제2법칙을 제안했다.

열역학 제2법칙 - 엔트로피 증가의 법칙

열의 이동 : 높은 온도 → 낮은 온도

우주의 엔트로피 : 계속해서 증가

후일에 오스트리아의 물리학자 루트비히 에두아르트 볼츠만(Ludwig Eduard Boltzmann, 1844~1906)은 통계 역학이라는 역학 체계를 완성했다. 볼츠만은 통계 분석을 통해 엔트로피의 증가가 무질서도의 증가를 의미한다는 것을 보였다. 엔트로피가 증가할수록 질서는 흐트러지고 정리되어 있던 것들이 무질서하게 섞인다. 클라우지우스가 말했던 엔트로피라는 수학적 개념은 볼츠만의 해석으로 가능성이 가장 높은 배열, 혹은 무질서도를 나타내는 양으로 다시 태어난 것이다.

엔트로피 증가의 법칙에 의하면 물질들의 질서는 계속 흐트러진다. 점심시간에 운동장에서 뛰어노는 아이들은 한 줄로 서 있기보다는 여기저기 흩어져 있을 가능성이 높다. 통 안에 2가지 색깔의 구슬을 넣어 흔들면 구슬들이 색깔별로 완전히 분리되어 있을 확률보다 뒤섞여 있을 확률이 더 높다. 열역학 제2법칙에 따르면 아이들은 점점 흩어져 놀고 구슬은 더 골고루 섞일 것이다.

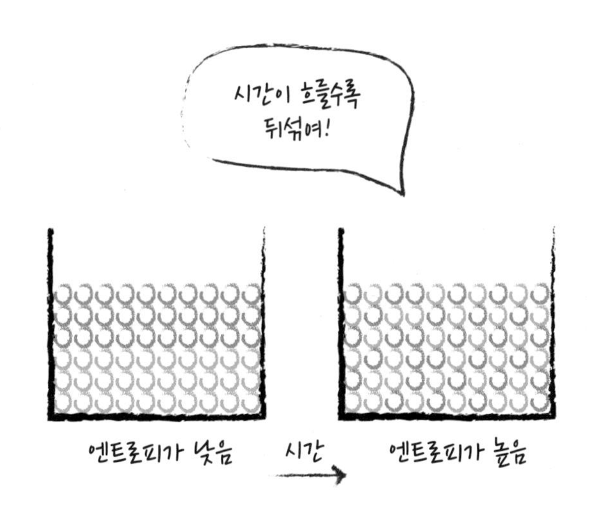

오늘날 열역학 제2법칙은 엔트로피가 높은 쪽으로 자연이 변할 가능성이 높다는 것을 의미한다. 우주의 엔트로피는 항상 증가한다는 것은 엔트로피가 증가하는 방향으로 변화가 일어날 확률이 지극히 높다는 의미이다. 물에 잉크를 한 방울 떨어뜨리면 잉크가 가만히 뭉쳐 있을 확률보다는 물에 퍼질 확률이 훨씬 더 높고, 한번 퍼진 잉크가 다시 뭉치기는 지극히 어려운 것처럼 말이다.

이처럼 볼츠만 이후에 열역학 제2법칙은 무질서가 증가한 상태, 돌이킬 수 없는 반응이 나타날 확률이라는 의미로 정립되었다.

에너지 개념, 물리학을 형성하다

열, 빛, 전기, 자기, 힘, 운동, 일, 에너지를 다루는 과학 분야를 물리학이라고 한다. 칼로릭 이론에서 시작해 정립된 에너지의 개념, 에너지 보존의 법칙은 물리학이라는 학문이 등장하는 데 중심적인 역할을 했다.

고대 그리스의 자연철학자 아리스토텔레스도 물리학이라는 말을 썼지만 이것은 오늘날의 물리학과는 다른 의미였다. 오늘날과 같은 의미의 물리학이라는 학문이 정립된 것은 19세기 중반 이후였다.

18세기까지만 해도 오늘날의 물리학에 속하는 분야들은 크게 두 갈래로 나뉘어 있었다. 한 갈래는 역학, 천체역학 등이었는데 이 분야들은 과학이 아니라 수학의 일부로 간주되었다. 역학, 천체역학 등은 19세기 초에 수학, 역학, 천문학으로 분리되었다. 이들 중 역학은 오늘날 물리학에서 중요하게 다루는 분야가 되었다.

물리학에 포함된 다른 한 갈래는 열, 빛, 전기, 자기, 소리 등에 대한 지식이다. 이 지식들은 18세기까지도 통합되지 못한 채 산만하게 흩어져 있었다. 19세기에 들어 열, 빛, 전기, 자기, 소리 등을 연구하던 과학자들은 점차 자신들의 연구 분야를 역학과 동일한 분야로 생각하게 되었다. 여기에는 2가지 요소가 작용했다.

첫째, 전혀 달라 보였던 두 분야는 수학이라는 공통점을 가지고 있었다. 이론 설립에 수학을 이용하게 되면서 이러한 분야들은 모두 같은 연구 방법을 사용하게 되었던 것이다.

둘째, 다양한 현상을 에너지라는 통일된 개념으로 설명할 수 있었다. 열, 빛, 전기, 자기, 소리뿐만 아니라 역학적 에너지도 본질적으로는 동등하며 서로 변환될 수 있다는 믿음이 이 여러 분야들을 하나로 묶었다.

역학, 열, 빛, 전기, 자기, 소리를 다루는 과학자들이 자신들이 모두 한 분야에 속한다고 인식하자 마침내 '물리학'이라는 통합된 학문 분야가 형성되었다. 이제 칼로릭은 없어졌고, 신비한 유체 개념도 없어졌다. 19세기 중반 열 분야에서의 발전은 열역학이라는 학문을 낳았다. 그리고 열역학은 에너지 개념을 중심으로 정립되고 있던 물리학의 한 분야로 통합되었다.

또 다른 이야기 | 열역학 제0법칙과 제3법칙도 있다고?

열, 일, 에너지, 엔트로피를 다루는 열역학을 설명하는 기본 법칙은 4가지가 있다. 열역학 제1법칙은 에너지 보존 법칙이라고도 불린다. 열역학 제1법칙은 에너지의 형태가 바뀌어도 전체 에너지의 양은 일정하다는 것을 의미한다. 열역학 제2법칙은 물질의 변화는 엔트로피가, 즉 무질도가 증가하는 방향으로 일어날 확률이 높다는 것을 의미한다. 그렇다면 열역학 제0법칙과 제3법칙은 무엇일까?

열역학 제0법칙은 열적 평형 상태를 설명하는 법칙이다. 열적 평형 상태란 더 이상 두 물체 사이에서 열 교환이 일어나지 않는 상태이다. 즉, 두 물체가 가진 열에너지가 동일해 온도에 차이가 없다는 의미이다. 물체 A와 B가 열적 평형 상태에 있고, 물체 B와 C가 열적 평형 상태에 있으면, 물체 A와 C도 열적 평형 상태에 있다. 즉, A와 B의 온도가 같고, B와 C의 온도도 같으면, A와 C의 온도도 같다. 열역학 제0법칙은 열역학의 출발점이 되는 가장 기본적인 개념이다. 하지만 열역학 제1법칙과 제2법칙보다 나중에 발견되었기 때문에 열역학 제0법칙이라는 이름을 얻었다.

열역학 제3법칙은 물질의 온도는 절대 영도(0K)에 도달할 수 없다는 것이다. 물질을 이루는 입자들은 항상 움직인다. 하지만 온도가 내려갈수록 움직임은 점점 더 느려지고, 이론상 절대 영도가 되면 움직임이 멈추고 엔트로피도 0이 된다. 자연계에서는 이런 일이 일어날 수가 없다고 보는 것이 열역학 제3법칙이다. 다시 말해 온도가 절대 영도에 가까워질수록 물질이 가진 운동 에너지와 엔트로피가 0에 가까워지지만, 이것은 절대 영도에 도달한다는 의미가 아니라 그에 가깝게 수렴될 뿐이라는 의미이다.

정리해 보자 | 열역학 법칙의 정립

열역학은 열과 일, 에너지의 관계를 연구하는 학문으로, 온도 측정 연구에서 시작했다. 18세기에 섭씨온도와 화씨온도 체계가 정립되었고 19세기에는 절대 온도 체계가 등장했다. 18세기에는 칼로릭이라는 유체로 온도 변화를 설명했다. 19세기에 카르노는 온도 차이가 클수록 일을 하는 능력이 커진다는 카르노의 원리를 알아냈다.

1830년대에는 줄, 마이어, 헬름홀츠가 거의 동시에 열역학 제1법칙을 발견했다. 이는 에너지가 다른 종류의 에너지로 변환되어도 전체 에너지의 양은 변하지 않는다는 법칙이다.

19세기 중반에는 열에너지 이동의 방향성을 설명하는 열역학 제2법칙이 발견되었다. 톰슨은 열이 이동하며 일을 하기 때문에 사용할 수 있는 에너지가 점점 줄어든다고 주장하였다. 클라우지우스는 엔트로피 개념을 도입했고, 이어서 볼츠만이 엔트로피는 무질서도를 의미하며 우주의 엔트로피는 증가한다고 설명했다.

에너지 개념이 정리되자 그동안 수학, 역학, 천문학, 열, 빛, 전기, 자기, 소리 등으로 나뉘어 있던 과학 분야가 물리학이라는 이름으로 통합되었다.

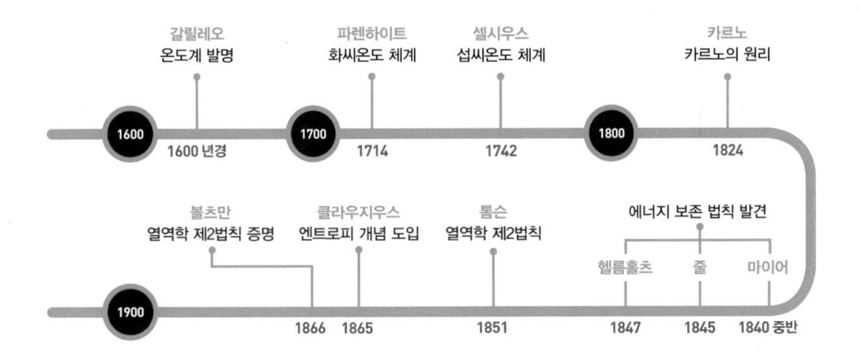

Chapter 7

상자 속의 고양이는 살았을까, 죽었을까?

코펜하겐 해석과 양자역학

양자역학을 알고도 혼란스럽지 않다면
그 사람이 양자역학을 제대로 이해하지 못했다는 뜻이다.
– 닐스 헨리크 다비드 보어 –

20세기 초에는 아주 중요한 2가지 사건이 일어나 뉴턴이 정립한 세계관을 뒤흔들었다. 양자역학과 상대성 이론이 탄생한 것이다. 이 중 양자역학은 눈으로 보이지 않는 미시 세계, 즉 전자, 양성자, 중성자 등 원자를 이루는 구성 입자들의 운동을 연구한다. 양자역학은 원자가 만드는 빛의 스펙트럼을 설명하기 위해 등장했지만, 지금은 다양한 유형의 물질세계를 설명하기 위해 광범위하게 이용되고 있다.

양자역학은 근대역학과 다른 점이 많아 오늘날에는 근대역학을 양자역학과 대비해 고전역학이라고 부른다. 고전역학에서는 조건만 알면 물체의 운동 결과를 정확하게 알 수 있다고 믿었지만, 양자역학에서는 물체의 위치와 운동량을 동시에 알 수는 없다고 여긴다. 또 고전역학에서는 입자의 성질과 파동의 성질을 명확하게 구분할 수 있다고 생각했지만, 양자역학에서는 빛과 전자에 입자의 성질과 파동의 성질이 모두 있다고 말한다. 고전역학의 세계가 인과적인 세계라면, 양자역학의 세계는 확률이 지배하는 세계이다. 아인슈타인은 '신은 주사위 놀이를 하지 않는다.'라는 말로 양자역학의 확률적 세계를 비판했다. 그렇다고 해서 두 역학 체계가 서로 배타적이거나 어느 한 쪽이 틀린 것도 아니다. 잘 설명할 수 있는 대상이 서로 다를 뿐이다.

기존의 상식을 뒤엎는 개념들이 탄생한 지 100여 년이 지났지만 아직도 양자역학을 제대로 이해하는 사람은 많지 않다. 과학자들은 지금도 계속해서 양자역학을 이해하기 위해 연구를 진행하고 있다.

에너지가 작은 덩어리라고?

고전역학에서는 에너지나 운동량이 연속적으로 증가하거나 연속적으로 감소한다고 가정했다. 하지만 20세기에 들어 물리학자들은 꼭 그렇지만은 않다는 것을 밝혀냈다.

물리학자들은 에너지와 운동량이 변화할 때면 계단처럼 띄엄띄엄한 값을 보이는 것을 발견했다. 에너지가 양자화되어 있었던 것이다. 양자란 불연속적인 작은 덩어리를 의미한다.

물리학에서의 연속이란 1과 2 사이에 1.1, 1.2, 1.25, 1.257, 1.398707, 1.435 등과 같이 무수히 많은 수가 들어갈 수 있음을 의미한다. 반대로 불연속이란 1과 6 사이에 2, 3, 4, 5와 같은 정수만 있다는 의미이다. 양자는 하나의 작은 덩어리라서 반으로 나뉘거나 소수점 단위로 존재하지 못하고 1개, 2개처럼 정수의 배수로만 존재한다.

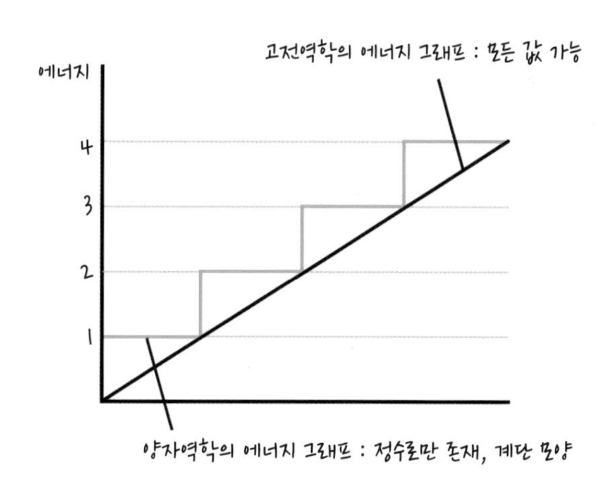

물리학자들이 에너지가 양자화되어 있다는 사실을 받아들이기는 쉽지 않았다. 고전역학은 에너지의 값이 연속적이라는 가정 아래서 성립되었기 때문이다. 물리학자들은 기존의 역학 체계를 계속 받아들여야 할지 고민하기 시작했고, 불연속적인 에너지를 설명하기 위한 새로운 이론 체계를 세우기 시작했다. 그렇게 탄생한 학문이 바로 양자역학이다.

양자역학의 탄생을 이해하기 위해서는 먼저 흑체 복사라는 개념을 알아야 한다. 양자역학은 이 흑체 복사 연구에서부터 시작했다.

흑체라는 단어는 검은색 물체라는 의미이다. 우리가 물체를 보려면 물체에서 반사된 빛이 눈 안으로 들어와야 한다. 어떤 물체가 자신에게 도달한 빛을 반사하지 않고 모두 흡수한다면 우리 눈에는 검은색 물체, 흑체로 보일 것이다. 그 물체가 보이지 않게 된다는 의미이기도 하다. 물론 이런 물체가 실제로 존재하지는 않을 것이기에 완벽한 흑체는 이론상으로만 존재한다.

그렇다면 복사란 무엇일까? 복사란 매질이 없어도 전달되는 에너지 형태를 의미한다. 복사 에너지의 대표적인 예로 빛을 들 수 있다. 모든 물체는 자신의 온도에 해당하는 만큼의 복사 에너지를 외부로 방출한다. 흑체가 자신에게 도달한 모든 에너지를 흡수하고 나서 스스로 빛 에너지를 내보내는 일을 흑체 복사라고 한다.

물리학자들은 이상적인 흑체의 예로 매우 좁은 입구가 있는 구 모양 단지를 가정했다. 이 단지의 좁은 입구에 빛을 비추면 빛은 모두 단지 내부의 빈 공간으로 들어갈 것이다. 들어간 빛은 단지 안의 빈 공간에서 반사를 계속한다. 그러나 입구가 너무 좁아 단지 밖으로 빠져나오지는 못한다.

빛이 들어가기는 했는데 빠져나오지는 못하니 이 단지는 거의 흑체와 같다고 할 수 있다. 이 상태에서 단지를 가열하면 온도가 올라가고, 단지에서는 온도가 올라간 만큼의 에너지에 해당하는 빛이 복사되어 나오기 시작한다.

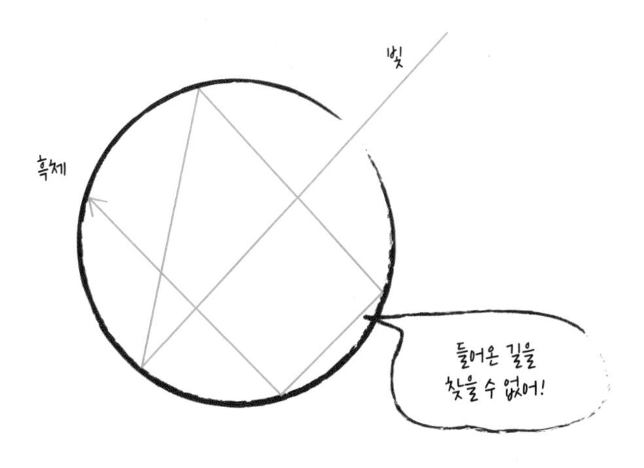

19세기 이후 물리학자들은 흑체 복사의 비밀을 풀기 위해 노력했다. 흑체 복사 연구의 시작점은 1850년대로 거슬러 올라간다. 1859년에 독일의 물리학자 구스타프 로베르트 키르히호프(Gustav Robert Kirchhoff, 1824~1887)는 흑체에서 발생하는 빛의 스펙트럼을 분석했다. 그랬더니 흑체가 내보내는 빛의 색, 즉 파장은 온도에 의해서만 달라졌다.

빛의 파장에 온도 외의 다른 요소가 영향을 끼치지 않는다는 것은, 어떤 물질이든 같은 온도로 가열되기만 하면 같은 색 빛을 방출한다는 것을 의미한다. 빛의 색이 달라진다는 것은, 온도에 따라 가장 강한 에너지를 지닌 파장이 달라진다는 뜻이다.

어떤 흑체에 계속해서 복사 에너지를 가하여 온도가 약 5,000K 정도가 되면 흑체는 빨갛게 변한다. 이때 흑체는 모든 파장의 빛을 다 방출하는데, 그중에서도 빨간색 빛(0.6~0.7㎛의 파장)에서 에너지 세기가 최대가 된다. 이 흑체의 온도를 더 올려 6,000K 정도가 되면 이번에는 흑체가 내보내는 에너지 중 파장이 노란색 빛(0.6㎛의 파장)에서 에너지의 세기가 최대가 된다. 온도를 더 올리면 흑체가 방출하는 에너지 중 파란색 빛(0.5㎛의 파장)에서 에너지 세기가 최대가 된다.

이처럼 흑체의 온도가 올라갈수록 점점 짧은 파장의 빛을 강하게 내뿜는다. 또한 온도가 높아질수록 흑체가 방출하는 에너지의 양도 많아진다. 이를 그래프로 그린 것을 흑체 복사 곡선이라고 한다. 물리학자들은 이런 현상이 일어나는 이유를 알지 못했고, 이 흑체 복사의 비밀을 풀기 위해 시도했지만 모두 실패하고 말았다.

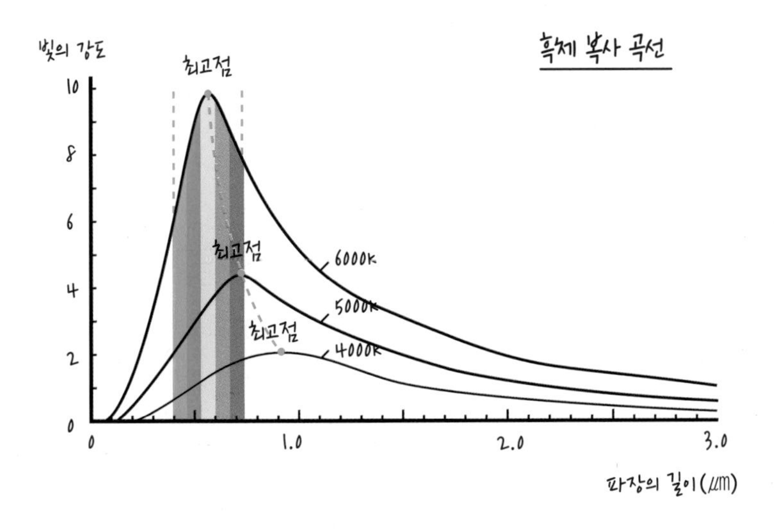

막스 카를 에른스트 루트비히 플랑크 **플랑크는 흑체 복사 에너지가 양자화되어 있다고 주장했으며 플랑크 상수를 유도해 냈다.**

흑체 복사의 비밀을 풀어 양자역학의 문을 연 사람은 독일의 이론 물리학자 막스 카를 에른스트 루트비히 플랑크(Max Karl Ernst Ludwig Plank, 1858~1947)였다. 독일의 항구 도시 킬에서 태어난 플랑크는 흑체 복사 연구의 선구자인 키르히호프 밑에서 공부했다. 이후 플랑크는 베를린 대학교에서 키르히호프의 후임으로 물리를 가르치면서 흑체 복사의 원리를 밝혀내기 위한 연구를 계속했다. 그는 결국 모든 파장에서 흑체 복사 곡선을 해석할 수 있는 식을 만들어 냈다.

플랑크는 1900년 12월 14일에 흑체 복사에 관한 자신의 연구 결과를 발표했다. 이 연구에는 고전역학과는 매우 다른, 혁명적인 개념이 포함되어 있었다. 바로 흑체가 내보내는 빛 에너지가 불연속적인 값을 취한다는 개념이었다. 에너지가 연속적으로 변한다고 믿고 있던 물리학자들은 빛 에너지가 양자화되어 있다는 주장에 큰 충격을 받았다. 양자화되어 있다는 것은 빛 에너지에 최소 단위가 있어서, 에너지가 계단 모양으로 변한다는 것을 의미한다. 오늘날에는 플랑크의 이름을 따 양자역학에서의 빛 에너지 최소 단위를 플랑크 상수라고 부른다. 과학사학자들은 플랑크의 이론이 등장한 때를 양자역학이 시작된 시점으로 본다.

빛 에너지가 불연속적이라는 개념이 받아들여지기 위해서는 또 하나의 가정이 필요했다. 바로 빛이 입자라는 가정이었다. 파동은 연속적으로 이어지는 에너지 흐름이기 때문에 빛이 파동이라면 빛 에너지가 불연속적으로 나타날 이유가 없다.

아인슈타인은 광전 효과를 설명하며 빛의 입자설을 주장해 양자역학의 발전에 큰 획을 그었다. 그는 1905년 논문에서 빛이 특정 진동수를 가진 에너지 입자인 광양자라고 생각해야 광전 효과를 설명할 수 있다고 밝혔다.(광전 효과에 대해서는 4장 참조) 아인슈타인의 말대로라면 빛은 광양자라는 입자들의 모임이 된다.

아인슈타인의 이론으로 빛은 파동의 성질을 가지고 있을 뿐만 아니라 입자의 성질도 가지고 있다는 사실을 과학자들이 받아들일 수 있었다. 그런데 정작 빛 에너지의 불연속성을 알아내 양자역학이 탄생하는 데 큰 영향을 끼쳤던 플랑크는 빛이 입자라는 아인슈타인의 의견에 끝까지 반대했다. 그는 고전역학을 뒤집는 이런 혁명적인 변화를 원하지 않았다고 한다.

모든 물질은 파동의 성질을 지녔다

1913년에 덴마크의 과학자 닐스 헨리크 다비드 보어(Niels Henrik David Bohr, 1885~1962)는 빛 에너지가 불연속적으로 나타난다는 사실을 기반으로 새로운 원자 이론을 제안했다. 보어는 양자역학의 철학적 해석에 관해

닐스 헨리크 다비드 보어 보어는 전자가 원자핵 주위의 궤도를 돌며 궤도 사이를 넘나드는 원자 모형을 만들었다.

서 아인슈타인과 끝까지 대립했던 것으로 유명한 물리학자이다.

보어는 수소 원자가 방출하는 빛이 불연속적인 이유를 고민하다가 새로운 원자 모형을 고안해 냈다. 보어의 모형 중심부에는 원자핵이 있고 그 원자핵 주변 궤도를 전자가 돌고 있다. 이 점은 뉴질랜드 출신의 영국 물리학자 어니스트 러더포드(Ernest Rutherford, 1871~1937)가 이전에 만들었던 원자 모형과 비슷하다. 하지만, 수소 원자가 방출하는 빛의 스펙트럼을 반영한 모형이라는 점에서는 전혀 달랐다.

보어의 원자 모형에서 전자는 원자핵 주변의 궤도를 돈다. 원자핵과 가까운 곳에 있는 궤도도 있고 멀리 있는 궤도도 있다. 전자는 특정한 궤도 위에서만 움질일 수 있고 궤도들 사이사이에 존재할 수는 없다. 전자가 바깥쪽 궤도에 있으려면 에너지를 많이 가지고 있어야 하고, 안쪽 궤도로 들어갈수록 가진 에너지는 적어진다.

보어에 따르면 전자는 한 궤도에서 다른 궤도로 이동할 수 있다. 전자가 에너지가 더 낮은 궤도로 이동할 때 에너지 차이만큼의 광자, 즉 빛을 방출한다. 에너지 준위가 높은 궤도에서 낮은 궤도로 이동할 때만 빛을 방출하므로, 수소 원자의 빛 스펙트럼은 불연속적으로 나타나게 된다. 이는 곧 빛 에너지가 불연속적임을 의미했다. 보어의 원자 모형은 양자역학의 출현에 중요한 역할을 했다.

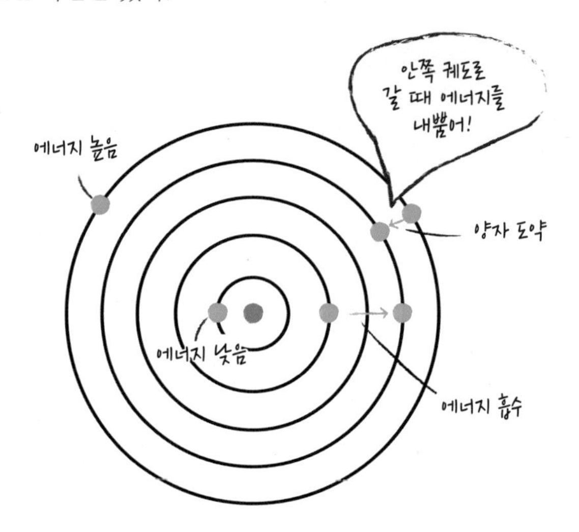

아인슈타인의 광양자설이 등장하고 나서, 물리학자들이 빛이 입자의 성질과 파동의 성질을 모두 가지고 있다는 사실을 받아들이는 데는 그리 오랜 시간이 걸리지 않았다. 하지만 물리학자들은 여기에서 멈추지 않았다. 물리학자들은 빛뿐만 아니라 전자도 입자의 성질과 파동의 성질을 모두 가지고 있다고 생각하기 시작했다.

전자가 파동의 성질도 가진다고 주장한 물리학자는 프랑스의 루이 빅토르 피에르 레몽 드브로이(Louis-Victor-Pierre-Raymond de Broglie, 1892~1987)였다. 그는 만약 파동이라고 생각했던 빛이 입자의 성질을 가진다면, 그동안 입자라고 생각했던 전자도 파동의 성질을 가질 수 있지 않

루이 빅토르 피에르 레몽 드브로이 **드브로이는 물질도 파동의 성질을 가진다고 생각해 물질파 개념을 내놓았다.**

을까 하는 아주 재미있는 발상을 했다.

1924년에 드브로이는 모든 물질이 파동의 성질을 지닌다는 물질파 개념을 내놓았다. 드브로이에 의하면 물질파는 물질이 나타내는 파동이다. 드브로이의 물질파 개념을 받아들여 보어의 원자 모형을 다시 그리면 다음과 같다. 물질을 파동으로 간주한다면, 전자는 원자핵 주위에서 요동치는 파동이 되는 셈이다. 이때 궤도의 길이는 물질파 파장의 정수비로 결정된다.

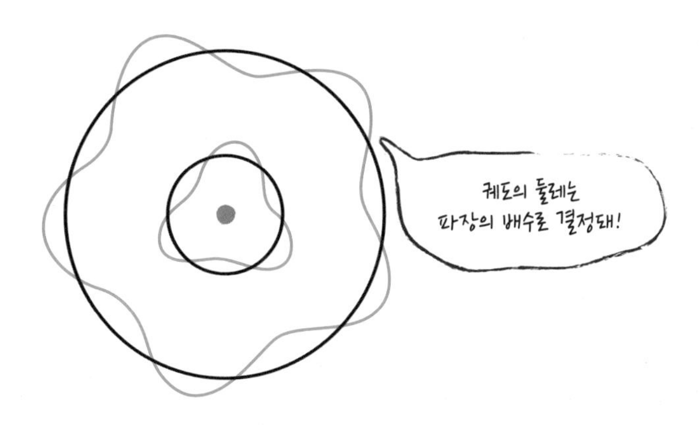

입자의 성질과 파동의 성질이 동시에 있다는 것은 상당히 이상한 이야기처럼 들린다. 파동은 진동이 퍼져나가는 현상인데, 이때 매질 입자는 이동하지 않고 에너지만이 전달된다. 입자가 직접 이동하지 않는다는 파동설과 입자가 직접 이동한다는 입자설이 양립한다는 생각을 받아들이기는 쉽지 않았다. 하지만 곧 물리학자들은 실험을 통해 전자에도 입자의 성질과 파동의 성질이 모두 있다는 것을 알아냈다.

입자와 파동의 이중성은 이중 슬릿 실험으로 확인되었다. 전자를 발사하는 전자총 앞에 슬릿이 2개인 판을 놓는다. 판 뒤에는 스크린이 있어서 전자가 부딪히면 흔적을 기록한다. 전자총에서 나간 전자가 어떤 모양으로 스크린에 표시되는지를 보면 전자의 정체를 알 수 있다.

전자가 입자라면 슬릿 바로 뒤쪽의 스크린에만 전자가 도달한 흔적이 남을 것이다. 실제로 전자를 하나만 발사하면 슬릿 뒤쪽에 점 모양의 흔적이 하나만 남는 것을 확인할 수 있다. 이 실험에서는 분명히 전자가 입자였다. 그런데 전자를 하나만 발사하지 않고 계속 내보냈더니 뒤쪽 스크린에 확연한 무늬가 나타났다. 빛이 파동임을 입증했던 빛의 이중 슬릿 실험에서처럼 이번에도 파동의 간섭무늬가 생긴 것이다. 간섭무늬가 생겼다는 것은 전자가 파동의 성질을 가지고 있다는 것을 의미한다. 이중 슬릿 실험은 전자에게 입자의 성질과 파동의 성질이 모두 있다는 사실을 보이는 증거가 되었다.

베르너 카를 하이젠베르크 **하이젠베르크는 입자의 위치와 운동량을 모두 정확하게 측정하는 것이 불가능하다는 불확정성의 원리를 발견했다.**

양자역학, 학문적 기초를 다지다

물리학자들은 원자 안에서 일어나는 전자의 움직임을 설명하는 새로운 학문 체계를 만들기 위해 노력했다. 그 결과 양자역학은 거의 비슷한 시기에 행렬역학과 파동역학이라는 이름으로 등장했다. 둘 중 먼저 등장한 것은 행렬역학이었다. 독일의 물리학자 베르너 카를 하이젠베르크(Werner Karl Heisenberg, 1901~1976)가 1925년에 제안한 행렬역학은 기존의 물리학적 방법론을 부정하고 양자역학의 새로운 기틀을 다졌다. 하이젠베르크는 보어의 수소 원자 모형에서 전자의 궤도 이동이 일어날 때 불연속적으로 방출되는 모든 빛(전자기파)을 수학적으로 정리해 보았고, 그 결과를 행렬 형식으로 나타낼 수 있었다. 그래서 그의 역학을 행렬역학이라고 부른다. 고전역학에서는 물체의 운동을 기술할 때 위치와 운동량(질량×속력)을 기준으로 했지만, 하이젠베르크는 전자가 방출한 빛의 스펙트럼만을 이용해서 새로운 역학 체계를 세웠다.

그로부터 2년 뒤인 1927년, 하이젠베르크는 자신의 행렬역학을 분석하여 '불확정성 원리'라고 부르는 양자역학의 중요한 철학적 고찰에 도달하였다. 그것은 측정하려고 하는 입자의 위치와 운동량을 동시에 정확하게 측정하는 것은 불가능하다는 원리이다. 이것은 양자역학이 전자와 같은 아주 작은 입자를 연구 대상으로 하고 있어서 나타나는 한계라고 할 수 있다.

예를 들어 어떤 통 속에 전자가 들어있다고 하자. 전자의 위치를 알기 위해서는 전자에서 반사된 빛이 우리 눈으로 들어와야 한다. 전자의 위치를 알기 위해 전자에 빛을 쏘았다고 가정해보자. 전자에서 반사된 빛이 우리 눈에 들어오면 우리는 전자의 위치를 알 수 있다. 문제는 전자에 빛이 닿은 순간, 빛을 반사한 전자는 어딘가로 튕겨 나갔을 테니 우리는 이 전자가 얼마큼의 속도로 어디로 갔는지 알 수가 없다. 이처럼 양자역학의 세계에서는 위치를 정확히 측정하려고 하면 운동량을 측정할 수 없고, 반대로 운동량을 측정하려고 하면 위치를 정확히 측정하기 어렵다. 이것은 시간에 따른 물체의 위치를 알기 위해서는 현재의 위치와 운동량을 알아야 한다고 했던 고전역학의 전제를 뒤집는 고찰이었다.

하이젠베르크의 불확정성 원리

위치 측정 → 운동량 불확실
운동량 측정 → 위치 불확실
→ 완벽한 측정 불가능

이와 비슷한 시기에 보어도 양자역학의 또 다른 기본 원리인 '상보성 원리'에 도달하였다. 우리가 일상적으로 보는 물질의 세계에서는 입자성과 파동성이 서로 양립할 수 없지만, 빛이나 전자의 경우에는 파동과 입자의 이중성을 가지고 있다는 생각에서 출발한 원리가 상보성 원리이다. 불확정성 원리를 해명하기 위해 보어가 도입한 이 원리에 의하면, 전자는 입자이면서 동시에 파동일 수는 없다. 경우에 따라 파동의 성질을 보이거나 아니면 입자의 성질을 보인다. 왜냐하면, 전자의 입자성을 명확히 하면 할수록 파동성은 점점 더 찾아볼 수 없게 되고, 파동성을 명확히 하면 할수록 입자성은 점점 더 불명확해지기 때문이다. 이는 전자와 같은 작은 입자의 운동을 연구할 때는 입자성과 파동성 두 측면을 모두 연구해야만 한다는 것을 의미했다.

<u>보어의 상보성 원리</u>
입자의 성질 확정 -> 파동의 성질 소멸
파동의 성질 확정 -> 입자의 성질 소멸

보어와 하이젠베르크가 불확정성의 원리와 상보성 원리를 바탕으로 양자역학을 정립해 나가고 있는 동안, 다른 한편에서는 파동역학이라고 부르는 양자역학의 또 다른 갈래가 부상하고 있었다. 파동역학을 정립한 사람은 오스트리아의 물리학자 에르빈 루돌프 요제프 알렉산더 슈뢰딩거(Erwin Rudolf Josef Alexander Schrödinger, 1887~1961)였다.

슈뢰딩거는 오스트리아의 빈에서 태어났다. 독일 베를린의 훔볼트 대학교에서 교수로 있었던 그가 슈뢰딩거의 방정식을 만들어 물리학의 역사에 한 획을 그은 것은 1926년의 일이었다. 슈뢰딩거는 1933년에 나치가 집권하자 독일을 떠나 영국, 로마, 아일랜드 등으로 옮겨가며 살았다. 그가 양자역학의 발전에 공헌한 점을 인정받아 노벨 물리학상을 받은 것도

에르빈 루돌프 요제프 알렉산더 슈뢰딩거 **슈뢰딩거는 파동 방정식을 만들었는데, 이 파동 방정식을 해석하는 과정에서 양자역학에 대한 여러 가지 설명 방식이 등장했다.**

1933년이었다. 다양한 지역을 전전하던 슈뢰딩거는 은퇴한 이후에 조국 오스트리아로 돌아가 모교인 빈 대학의 명예교수가 되었다.

슈뢰딩거는 기존의 물리학적 방법인 파동역학을 이용해서 슈뢰딩거 방정식을 만들어냈다. 그의 방정식은 드브로이의 물질파 개념을 바탕으로 전자의 파동성을 수학적으로 기술한 것이었다. 슈뢰딩거 방정식은 행렬역학보다 더 익숙한 미분을 이용했기 때문에 당시에 많은 과학자에게 환영받았다.

솔베이 회의에서 양자역학의 표준 해석이 탄생하다

하이젠베르크의 행렬역학과 슈뢰딩거의 파동역학, 각각의 역학 체계를 지지하는 물리학자들은 1927년 10월, 벨기에의 브뤼셀에서 열린 제5차 솔베이 회의에서 격렬한 논쟁을 벌였다. 1911년에 처음 시작한 솔베이 회

1927년 솔베이 회의 **제5차 솔베이 회의에는 많은 물리학자들이 참석했는데, 양자역학을 둘러싼 격렬한 논의가 오갔다.**

의는 탄산나트륨(소다) 제조법을 발명한 벨기에의 화학자이자 기업가 에르네스트 솔베이(Ernest Solvay, 1838~1922)가 만든 회의이다. 3년에 한 번씩 물리학과 화학 분야에서 가장 난해한 주제를 토론하는 이 회의는 오늘날까지도 이어지고 있다. 전자와 광자를 주제로 한 1927년 회의에는 29명의 물리학자가 참가했는데, 이들 중 17명이 노벨상 수상자였다.

이 회의에서는 불연속적인 세계관을 바탕으로 형성된 행렬역학을 지지했던 과학자들 – 보어, 하이젠베르크 등–의 양자역학 해석이 승리를 거두었다. 이들의 해석이 양자역학의 표준 해석으로 자리 잡게 된 것이다. 이들을 대표하던 닐스 보어의 연구소가 코펜하겐에 있었고 그의 연구소 출신 과학자들이 이 해석을 지지했기 때문에 이들의 양자역학 해석을 코펜하겐 해석이라고도 한다. 그렇다면, 제5차 솔베이 회의에서 채택된 양자

막스 보른 보른은 독일에서 태어났지만, 1933년에 나치에 의해 쫓겨나 영국에서 연구 활동을 계속했다. 슈뢰딩거의 파동 방정식을 해석하는 코펜하겐 해석을 제시했다.

역학 표준 해석의 내용은 무엇일까?

첫째, 모든 물리량은 관측됐을 때만 그 의미가 있다. 따라서 전자를 연구할 때는 측정 가능한 것, 즉 양자 도약을 통해 전자가 방출하는 빛(전자기파)만을 연구 대상으로 할 수 있다. 이에 대해 아인슈타인은 전자를 본 사람은 아무도 없지만, 전자를 보지 못했다고 해서 전자가 정확한 위치와 속도를 가지지 못한다고 생각하면 안 된다고 반박했다.

둘째, 하이젠베르크의 불확정성 원리에 따라 전자와 같은 미립자의 위치와 운동량을 동시에 측정한다는 것은 불가능하다.

셋째, 양자역학에서는 측정 대상과 측정 주체가 명확하게 구분되고 측정이라는 행위 자체가 이미 실재하고 있는 대상에 아무런 영향을 미치지 못한다는 고전역학의 세계관을 부정한다. 대신 아주 작은 미립자의 세계를 다루는 양자역학에서는 측정이라는 행위 자체가 측정 대상을 교란하기 때문에 측정하고자 하는 주체와 대상은 서로 분리될 수 없다고 말한다.

넷째, 보어, 하이젠베르크와 함께 행렬역학을 지지했던 막스 보른(Max

Born, 1882-1970)은 슈뢰딩거의 파동 방정식이 전자가 존재할 확률을 나타낸다고 주장했다. 이중 슬릿 실험을 다시 살펴보자. 슬릿을 통과한 전자는 어디에 있는 것일까? 양자역학을 지지하는 물리학자들은 전자가 어디에 있는지 위치를 정확하게 알 수는 없다고 설명했다. 이들에 의하면 원자 안에서 전자가 어디에 있는지는 오직 확률로서만 알 수 있다. 이것은 반대로 전자가 확률적으로 어디에나 존재할 수 있음을 의미한다. 이를 중첩이라고 한다.

코펜하겐 해석에 의하면 우리가 전자를 관측하기 전과 관측한 이후에 전자는 전혀 다른 상태에 있다. 우리가 관측하지 않는 동안 전자는 파동의 형태로 원자 곳곳에 퍼져서 존재하기 때문에 전자가 어디에 있는지는 확률로만 알 수 있다. 하지만 전자를 측정하려는 행위를 하는 순간 전자의 확률 함수는 붕괴하고, 순간적으로 확률이 한곳에 모이면서 전자 입자가

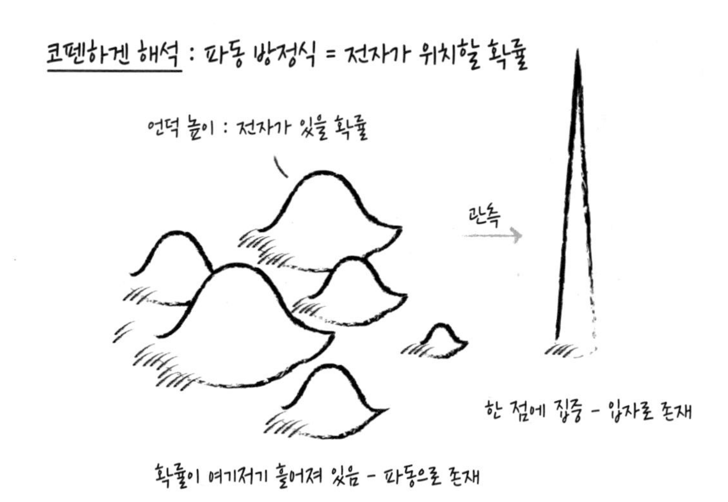

보어와 아인슈타인 보어와 아인슈타인은 코펜하겐 해석을 둘러싸고 상반된 의견을 가지고 있었다.

나타난다. 실제로 전자를 가지고 이중 슬릿 실험을 해보면, 관찰하고 있지 않은 동안 전자는 파동과 같이 행동하지만, 관찰하는 순간 전자는 입자와 같이 행동한다. 100명이 복권을 산다고 생각해보자. 복권 당첨 번호가 발표되기 전까지는 모든 사람이 당첨될 확률을 가지고 있다. 그러나 당첨 번호가 발표되는 순간, 당첨자를 뺀 모든 사람의 확률은 붕괴하여 0이 되고, 당첨자 한 사람은 당첨 확률이 100%, 즉, 1이 되는 것과 비슷한 논리라고 할 수 있다. 양자의 세계에서는 바로 그 당첨자 한 사람이 전자 입자인 셈이다. 보른의 해석은 여러 학자의 지지를 받았다.

솔베이 회의에서는 아인슈타인이 코펜하겐 해석의 개념들을 조목조목 반박하고, 보어 등의 학자들은 이에 다시 반박하는 식으로 토론이 진행되었다. 특히 슈뢰딩거와 아인슈타인은 코펜하겐 해석의 확률 파동이라는 개념을 격렬하게 반대했다. 하지만 연속성을 대표하던 최고의 과학자였던 아인슈타인, 슈뢰딩거, 막스 플랑크 등은 코펜하겐 학파의 해석에 대해 결정적 반론을 펴지 못했고, 결국 회의에 참석했던 과학자들은 코펜하겐 해석에 손을 들어주었다. 이후 슈뢰딩거는 양자역학의 확률 개념을 비판하기 위해 '슈뢰딩거의 고양이'라는 유명한 사고 실험을 고안하기도 했다. 많은 물리학자가 보어를 지지했고, 이후 많은 신진 물리학자는 양자역학의 확률 개념에 끝까지 반대한 아인슈타인을 물리학의 새로운 변화를 수용하지 못한 구시대의 인물로 여겼다.

원자 안에서 전자가 어디에 있는지를 확률로만 알 수 있다는 해석은 새로운 원자 모형의 탄생으로 이어졌다. 원자 안에서 전자가 발견될 수 있는 확률적 분포를 오비탈(orbital)이라고 하는데, 이에 따라 보어의 궤도 원자 모형은 전자가 있을 확률을 점으로 나타낸 '오비탈(전자 구름) 모형'으로 바뀌었다.

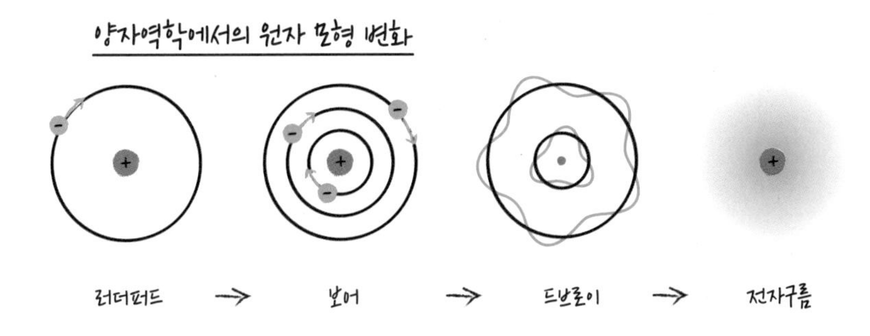

양자역학이 성립되던 1920년대에 많은 물리학자들의 지지를 받았던 코펜하겐 해석이 전자에 관해 모든 것을 설명해 주지는 않는다. 이 해석에는 치명적인 허점이 있다. 대체 관측이 무엇이기에 파동의 수축을 일으키는지 설명하지 못한다는 점이다. 하지만 이런 한계에도 불구하고 코펜하겐 해석은 오늘날까지도 양자에 관한 표준적인 해석이라는 지위를 유지하고

있다.

물론 코펜하겐 해석에 대한 비판적 대안들도 많이 등장했다. 그중 하나가 데이비드 조지프 봄(David Joseph Bohm, 1917~1992)이 제창한 양자 퍼텐셜이라는 개념이다. 봄은 입자인 양자가 만드는 파동을 '양자 퍼텐셜'으로 나타냈다. 그는 코펜하겐 해석과는 달리 파동을 확률로서 접근한 것이 아니라 실재하는 장(field)으로 해석하고자 했다. 입자들은 모든 공간에 존재하는 파 위에 있으며, 마치 파도타기를 하는 것처럼 앞으로 나아간다는 것이 봄의 생각이었다. 입자들이 물리적으로는 서로 분리되어 있어도 양자 퍼텐셜이라는 장을 통해 하나로 연결되어 있다는 봄의 생각은 양자 얽힘에 대한 연구가 등장하는 데 영향을 끼쳤다.

양자역학으로 순간 이동을 꿈꾸다

물리학자들은 양자역학을 보완하거나 대체 이론을 찾기 위해 노력하고 있다. 양자역학은 지금도 계속 발전 중이고, 거의 모든 물리학 이론에서 물질을 인식하는 기본 틀로 이용된다. 양자역학은 오늘날 원소의 성질이나 분자의 결합 구조, 금속이나 반도체의 성질, 소립자 연구에 적용된다. 또, 양자역학을 어떻게 미래에 다른 분야에서 이용할 수 있을지도 많이 연구하고 있다.

양자역학을 이해하는 키워드

양자화 : 양자 - 가장 작은 덩어리. 정수로 존재
확률 : 정확한 사건 예측 불가능, 확률 계산 가능
파동-입자 이중성 : 물질은 입자의 성질, 파동의 성질 모두 보유
불확정성 원리 : 운동량과 위치 동시 측정 불가능

'양자 얽힘'은 존 스튜어트 벨(John Stewart Bell, 1928~1990)이라는 북아일랜드의 물리학자가 1964년에 발표한 이론이다. 양자 얽힘은 짝을 이룬 두 양자가 엄청나게 멀리 떨어져 있어도 서로 상관관계가 유지되는 현상이다. 부부가 멀리 떨어져 있어도 여전히 부부로 남아 있고, 쌍둥이 둘이 아무리 멀리 떨어져 있어도 쌍둥이라는 관계가 변함없이 유지되는 것처럼 말이다.

예를 들어 두 입자가 서로 반대 방향의 스핀을 가지게 되었다고 하자. 스핀은 입자가 가지는 운동량의 일종인데, 관측하기 전까지는 두 입자 중 어느 입자가 어느 방향의 스핀을 갖고 있는지 정해져 있지 않다. 다만 두

입자의 스핀이 반대 방향이라는 사실만 정해져 있다. 관측을 하는 순간 한 입자의 스핀 방향이 아래로 향했다면 그와 동시에 다른 입자의 스핀은 위쪽을 향하게 된다. 양자적으로 얽힌 두 입자 중에서 하나의 상태가 결정되면 다른 쪽의 상태도 동시적으로 결정되는 것이다. 입자들이 이렇게 연결된 관계를 양자 얽힘이라고 한다.

양자 얽힘 이론은 어디에 이용할 수 있을까? 〈스타트렉〉이라는 SF 영화에서는 등장인물들이 전송기를 이용해 다른 장소로 순간 이동을 한다. 양자 얽힘 이론을 이용하면 영화 속의 이런 순간 이동처럼 양자를 전송할 수 있다. 물론 영화와는 조금 다르다.

영화에서는 물체를 분해해 입자를 직접 이동시킨다. 하지만 양자 얽힘 이론을 바탕으로 한 공간 이동에서는 물체 자체가 이동하지 않는다. 대신 양자 얽힘을 이용해 한 물체를 구성하는 양자 정보를 사라지게 한 다음에 다른 곳에서 나타나게 한다.

양자 공간 이동 연구는 여러 나라에서 계속되었다. 그 결과 1993년 IBM 연구소의 찰스 헨리 베넷(Charles Henry Bennett, 1943~) 박사는 양자 얽힘을 이용해 양자를 멀리 떨어진 곳에 전송하는 것이 가능하다는 것을 알아냈다. 그로부터 4년이 지난 1997년에 오스트리아 빈 대학교의 안톤 자일링거(Anton Zeilinger, 1945~) 교수는 최초로 양자 전송 실험에 성공하였다. 이는 1920년대 초에 시작되었던 제1차 양자 혁명에 이어 제2차 양자 혁명 시대를 여는 사건이었다.

양자 컴퓨터 개발도 많은 과학자들이 관심 두고 있는 분야이다. 양자 컴

양자 컴퓨터 2011년에 캐나다의 D-Wave Systems에서 세계 최초로 양자 컴퓨터를 상용화했다. 사진은 컴퓨터에 사용되는 칩이다.

퓨터는 양자역학의 중첩 상태를 원리로 작동하는 컴퓨터이다. 중첩 상태에서 많은 계산을 동시에 진행시킴으로써 계산 속도를 엄청나게 빠르게 만들 수 있다는 것이 양자 컴퓨터의 기본 아이디어이다. 실제로 활용 가능한 양자 컴퓨터를 만들 수 있다면 디지털 컴퓨터는 따라가지 못할 속도로 정보를 처리할 수 있게 된다.

양자역학은 탄생한 지 100년이 지난 지금도 지적 탐구의 대상이며, 양자역학을 완벽하게 이해하는 사람은 아직도 많지 않다. 지금도 많은 과학자들은 양자역학의 이론을 정교하게 만들고 이를 인간 생활에 유용하게 사용할 수 있는 다양한 방법들을 찾으려 하고 있다.

또 다른 이야기 | 큰 분자에서도 중첩 현상이 발견되다

입자가 동시에 여러 곳에 있을 수도 있다는 중첩 현상은 양자역학의 핵심 개념 중 하나이다. 과학자들은 처음에는 중첩 현상이 원자 이하의 작은 입자에만 적용된다고 생각했다. 하지만 중첩 현상 연구는 점점 더 큰 분자들로 대상을 옮기고 있다.

1999년과 2003년, 《네이처》에는 축구공처럼 생긴 탄소공 C_{60}으로 양자 중첩 현상을 실험한 결과가 실렸다. 실험 주인공은 마르쿠스 아른트(Markus Arndt, 1965~) 연구팀과 안톤 자이링거였다. 이들은 양자 얽힘과 양자 전송 연구를 선도하는 연구자들이다. C_{60}은 탄소 원자 60개로 이루어진 분자로 풀러렌이라는 이름으로 알려져 있는데, 크기가 보통 원자의 약 10배 정도 된다. 이들은 C_{60}으로 이중 슬릿 실험을 진행해 물질파 간섭을 관찰하는 데 성공했다. 즉, C_{60}이 이중 슬릿을 동시에 통과한 것이다. C_{70}으로도 같은 실험에 성공한 이들은 구성 원자가 430개나 되는 분자에서도 같은 결과를 얻을 수 있었다.

슈뢰딩거는 미시 입자의 위치를 확률로만 알 수 있다는 코펜하겐 해석에 반박하기 위해 슈뢰딩거의 실험을 고안해 중첩이 가지는 논리적 모순을 지적했다. 미시 입자의 존재 확률에 관한 코펜하겐 해석에 반대해 고양이라는 큰 입자를 도입했던 것이다.

하지만 물리학자들은 최근에 길이가 60㎛나 되는 큰 금속 줄에서도 중첩 현상을 발견했다. 물리학자들은 입자임이 분명해 보이는, 점점 더 큰 분자들에서 물질파를 검출해 나가고 있다. 파동 방정식을 만들어 초기 양자역학의 발달에 기여했지만, 중첩 현상의 존재에는 반대했던 슈뢰딩거는 이를 보고 과연 어떤 이야기를 할까?

정리해 보자 | 양자역학의 탄생

양자역학은 키르히호프의 흑체 복사 연구에서 시작되었다. 그 연구를 이은 플랑크는 빛이 양자화되어 있다는 이론을 내놓았다. 아인슈타인은 플랑크의 양자 가설을 도입해 빛의 입자설을 주장했다. 빛에 입자의 성질과 파동의 성질이 모두 있다고 인정되자 드브로이는 물질도 마찬가지라며 물질파 개념을 도입했다.

이 이론들을 바탕으로 양자역학이 탄생했다. 보른은 슈뢰딩거가 1926년에 만든 파동 방정식이 전자가 존재할 확률을 의미하는 확률 방정식이라고 주장하였다. 양자역학에 따르면 전자는 입자 상태 또는 파동의 상태로 존재한다. 전자를 파동으로 파악하면 확률적으로 모든 곳에 전자가 존재할 수 있지만, 확률이 제거되는 순간 파동이 한 점으로 수렴되어 입자가 모습을 드러낸다.

아인슈타인 등은 과학이 발달하면 불확정성은 없어진다고 믿었지만, 코펜하겐 학파의 학자들은 불확실성을 물질의 기본 속성으로 여겨 논쟁이 이어졌다. 시간이 지날수록 코펜하겐 학파의 해석이 인정되어 오늘날 표준 해석이 되었다.

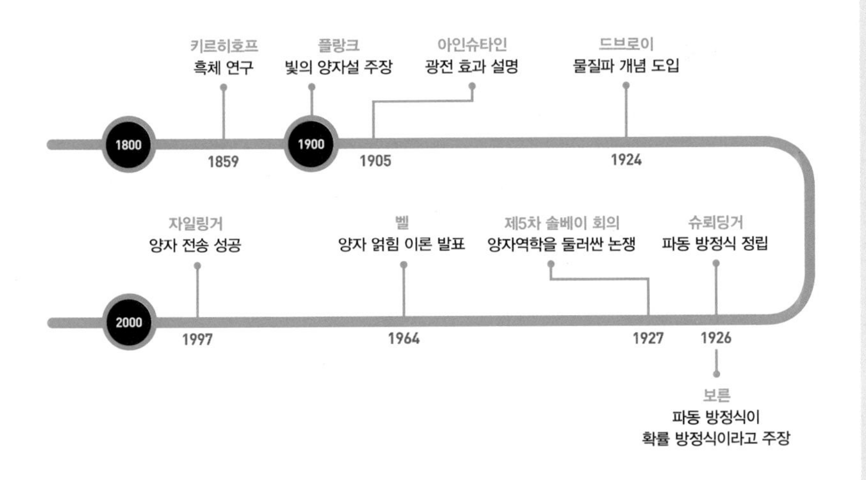

Chapter 8

시간과 공간의 비밀을 밝혀라!

상대성 이론

모든 과학의 위대한 목표는 최대한 많은 경험에서 얻은 사실을

최소한의 가설이나 원리에서 추론한 논리적 해석으로 설명하는 것이다.

– 알베르트 아인슈타인 –

뉴턴이 확립한 근대역학은 우리가 일상생활에서 경험하는 현상들을 이해하게 해 주었지만 과학 기술이 발달할수록 근대역학으로는 설명할 수 없는 현상들이 관찰되기 시작했다. 이를 설명하기 위해 20세기에 양자역학과 상대성 이론이 탄생했다. 미시세계를 다루는 양자역학과 달리 상대성 이론은 우주와 같은 거시적인 세계를 설명하는 데 이용된다.

고대 그리스의 자연철학자 아리스토텔레스는 운동과 정지가 완전히 다른 것이라고 생각했다. 하지만 갈릴레오는 운동과 정지가 상대적이라는 상대성 개념을 떠올렸고, 이를 기반으로 근대역학이 발달했다. 이는 몇 세기 뒤 상대성 이론의 탄생으로 이어졌다.

상대성 이론을 만든 사람이 바로 아인슈타인이다. 유명한 과학자로서 그의 명언이나 천재성, 위대함은 자주 언급되지만 상대성 이론을 제대로 이해하는 사람은 많지 않다. 아인슈타인의 이론들이 우리가 일상적으로 느낄 수 있는 범주의 것이 아니기 때문일 것이다.

어린 시절 빛의 속도로 빛을 따라가면 어떻게 보일지 궁금해하던 아인슈타인은 커서 상대성 이론을 확립했다. 아인슈타인은 특수 상대성 이론을 먼저 발견했다. 그러나 특수 상대성 이론의 연구 대상은 제한적이었고, 그 이론에도 한계가 있었다. 아인슈타인은 계속 연구를 한 끝에 일반 상대성 이론을 세웠다.

상대성 이론이 등장한 이후 많은 과학자들은 이 상대성 이론을 증명하기 위해 애썼다. 이제 상대성 이론은 우리 일상 속에도 쓰이고 있다.

기차역의 시간 계산이 상대성 이론을 탄생시키다

상대성 이론에서 말하는 '상대성'이라는 개념을 처음으로 생각해 낸 사람은 갈릴레오였다. 아리스토텔레스와 달리 갈릴레오는 운동과 정지가 정해져 있는 것이 아니라 상대적으로 결정된다고 생각했다. 버스를 타고 가면서 길가의 가로수를 보면 가로수가 뒤로 움직이는 것 같다. 실제로 움직이고 있는 것은 버스에 타고 있는 사람이고 나무는 가만히 있는데도 말이다. 이처럼 어느 입장에서 보고 있느냐에 따라 움직이는 물체와 정지해 있는 물체가 달라진다. 이를 상대성의 원리라고 한다.

금붕어가 들어 있는 어항을 손으로 잡고 계속 같은 속도로 빙글빙글 돌리면 금붕어는 자신이 돌고 있다는 사실은 모르고 어항 속을 유유히 헤엄칠 것이다. 만약 등속으로 우주 공간을 날아가고 있는 우주선 속에 우주인이 타고 있다면, 이 우주인은 창밖을 내다보지 않는 이상 자신이 움직이고 있는지 멈추어 있는지 알 수 없을 것이다.

이러한 예들은 등속으로 움직이는 공간 안에서 일어나는 일들은 정지해 있을 때와 똑같은 물리 법칙을 따른다는 것을 보여 준다. 이처럼 외부의 힘을 받지 않는 공간, 즉, 등속 운동을 하거나 정지된 공간을 관성계라고 한다. 관성계에서는 멈춰 있을 때나 등속 운동을 할 때나 같은 방식으로 사건이 일어나기에 관성계 내부에서는 운동을 알아챌 수 없게 된다.

갈릴레오의 이런 생각들은 이전에 물체의 운동 상태를 절대적인 것으로 파악하던 아리스토텔레스의 이론을 뒤엎었다. 몇 세기 뒤, 아인슈타인은 갈릴레오의 상대성 개념을 바탕으로 전자기학을 연구하다 상대성 이론을 만들어 낸다.

등속 운동을 하는 우주선 내부 **우주 공간에서 우주선은 관성에 의해 일정한 속도로 움직이는 등속 운동을 한다. 우주선 내부는 외부의 힘을 받지 않는 관성계라고 할 수 있다.**

아인슈타인의 상대성 이론이 등장한 배경으로는 크게 2가지를 꼽을 수 있다. 하나는 당시의 사회이고 다른 하나는 과학 내적인 이론 문제이다.

먼저 당시의 사회적 배경을 살펴보자. 아인슈타인은 1879년 독일의 울름에서 태어났다. 아인슈타인이 청년기를 보낸 19세기 후반, 유럽에서는 철도와 전신이 각지로 뻗어 나가고 있었다. 당시에는 기차들끼리 부딪쳐 사고로 이어지지 않게 기차역의 시계를 정확하게 맞추는 것이 아주 중요한 일이었다.

철도 등장 초기에는 중앙 역에서 시각을 전신으로 통보했다. 하지만 전신으로 신호가 가는 동안 또 시간이 흐르기 때문에 멀리 떨어져 있는 역일수록 신호를 늦게 받는다는 문제가 발생했다. 도시 사이의 정확한 시간 조율은 시계 산업, 군대, 철도 산업의 핵심 조건이었고, 현대 세계를 상징하는 요소이기도 했다. 그래서 많은 이들이 이 문제를 해결하고 싶어 했다.

유럽 열차 19세기 말에는 유럽 각 도시를 잇는 철도들이 많이 건설되었다. 당시 철도는 산업 발전을 나타내는 근대화의 대표적인 상징이었다.

1900년에 스위스 취리히 연방 공과 대학교를 졸업한 아인슈타인은 1902년 6월 16일부터 베른에 있는 특허 사무소에서 3등 기술 심사관으로 일하기 시작했다. 아인슈타인의 책상 위에는 시간 보정 방법과 관련된 온갖 특허 신청서들이 올라왔다. 멀리 떨어진 기차역들의 시간을 동일하게 만들기 위한 방법들이었다. 멀리 떨어진 역들의 시간을 동시화하려는 고민은 상대성 이론 등장의 계기가 되었다.

다음으로는 과학 내적인 배경을 살펴보자. 아인슈타인의 상대성 이론은 전자기학의 문제를 해결하려고 노력하는 과정에서 나타났다. 당시 전자기학에서는 전자기 유도 현상을 통일된 방식으로 설명하지 못했다. 코일에 자석을 가져다 대서 전류를 유도할 때, 코일이 움직이는 경우와 자석이 움직이는 경우를 다른 방식으로 설명했던 것이다.

당시의 설명에 의하면 코일 안에서 자석을 움직이면 자석 주위에 전기장이 형성되고 코일에는 유도 전류가 흐른다. 하지만 역으로 자석이 가만히 있고 코일이 움직일 경우는 자석 주위에 전기장이 형성되는 대신에 코일에 기전력이 생겨 전류가 흐른다.

그러나 고전역학의 상대성 개념에 따르면 코일이 움직이는 것과 자석이 움직이는 것은 동일한 현상이다. 그저 관측자에 따라 움직이는 대상이 상대적으로 달라지는 것일 뿐이다.

아인슈타인은 움직이는 자석의 전자기 현상에 많은 관심을 두고 있었고, 당시 특허청에서도 주로 전자기 관련 특허를 심사했다. 아인슈타인은 전자기 유도 현상의 상대성 문제를 심각하게 고민했다. 아인슈타인이 1905년에 발표한 논문은 전자기학에서 전자기 유도 현상을 설명하는 방식에 대해 문제를 제기하면서 시작된다. 아인슈타인은 어느 쪽이 움직이는지와 상관없이 전류가 흐르는 현상을 같은 방식으로 설명할 수 있는 방법을 찾으려 했다. 아인슈타인이 보기에 코일을 움직여서 발생하는 전류와 자석을 움직여서 발생하는 전류는 구별이 되지 않았고, 두 전류는 모두 동일한 현상이었다. 그는 두 전류를 하나의 통일된 원리로 설명하고자 했다.

또 다른 문제도 있었다. 당시 과학자들은 빛을 파동이라고 생각했고, 빛 파동을 전달할 매질이 있어야 한다고 믿었다. 그래서 과학자들은 빛 파동을 전달하는 물질로 우주를 가득 채운 에테르라는 물질의 존재를 가정했다. 그런데 에테르의 존재를 상정하자 자연스럽게 빛의 속도에 대한 문제가 따라왔다.

강에서 물이 흘러가는 방향으로 배가 움직일 때는 물살을 거스를 때보다 더 빨리 움직인다. 에테르가 강물처럼 흐른다면 태양 주위를 돌던 지구도 에테르가 흐르는 방향대로 움직일 때는 반대 방향으로 갈 때보다 빨리 이동할 것이다.

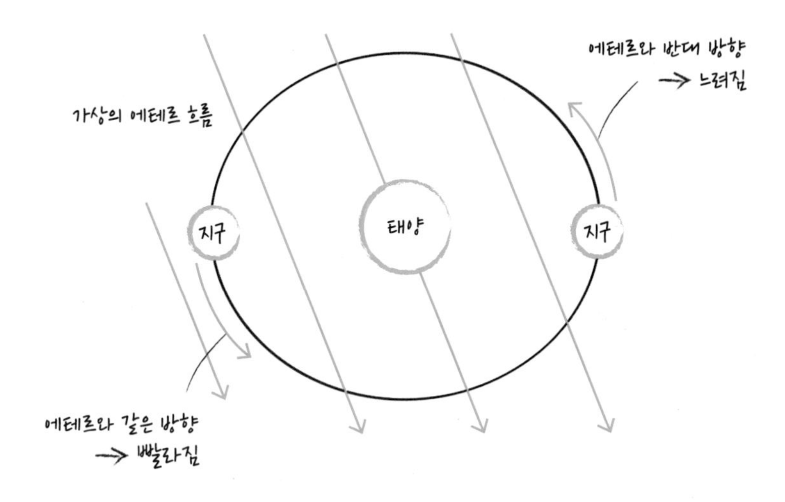

에테르를 매질로 하는 빛의 속도도 이와 마찬가지일 것이라고 추측해 볼 수 있다. 에테르가 흐르는 방향으로 빛이 움직이면 속도가 빨라지고, 반대 방향으로 빛이 진행할 때는 속도가 느려질 것이라고 말이다. 하지만 이러한 가정을 뒤집는 실험 결과들이 등장하고 있었다.

미국의 앨버트 에이브러햄 마이컬슨(Albert Abraham Michelson, 1852~1931)과 에드워드 윌리엄스 몰리(Edward Williams Morley, 1838~1923)는 1887년에 빛과 거울을 이용한 실험 장치를 만들었다. 같은 광원에서 나온 빛은 반거울에서 다른 방향으로 갈라진다. 갈라진 빛들은 같은 거리에 설치된 거울들에 반사된 후 되돌아와 검출기로 향한다. 실험 결과 갈라진 빛들은 동시에 검출기에 도착했다.

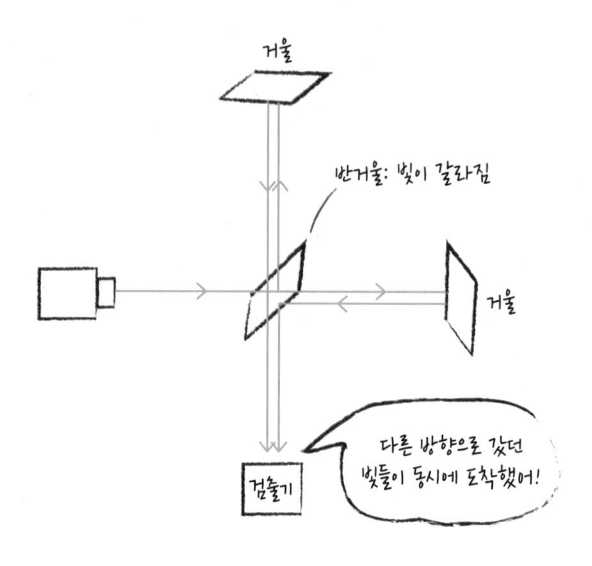

만약 에테르가 있었다면 빛의 이동 방향에 따라 속도가 달라졌을 것이다. 이 실험에서는 2가지 사실이 밝혀졌다. 하나는 빛의 속도가 관찰자의 속도와 관계없이 항상 일정하다는 '광속도 불변의 법칙'이었고, 다른 하나는 에테르가 존재한다는 증거가 없다는 사실이었다.

그러나 빛의 속도가 절대적이고 언제나 일정하다는 생각은 고전역학의 가정과는 맞지 않았다. 고전역학에서는 갈릴레오의 상대성 개념을 받아들여 내가 물체와 같은 방향으로 움직이고 있다면 물체의 속도가 더 느려 보이고, 반대 방향으로 움직인다면 속도가 더 빨라 보인다고 설명했으니 말이다.

아인슈타인은 상대성 개념, 그리고 빛의 속도가 일정하다는 생각을 바탕으로 역학과 전자기학의 새로운 설명 체계를 만들어 내고자 했다.

상대성 이론의 탄생
- 시대적 배경 — 철도 보급 → 기차역 시간 맞추기
- 과학적 배경
  - 전자기 유도 현상 설명의 통일성 문제
  - 빛의 속도 문제
    - 에테르 존재 X
    - 빛의 속도의 절대성

빠르게 움직일수록 시간은 느려진다

아인슈타인은 상대성 원리가 모든 현상에 적용되어야 한다고 확신했다. 아인슈타인의 상대성 이론은 2가지 과학적 사실에 기반을 두고 있다. 하나는 갈릴레오의 상대성 원리였다. 바로 관성계에서 나타나는 물리 현상은 언제나 똑같은 법칙을 따른다는 것이다. 어떤 물체가 등속으로 움직이고 있다면 그 물체는 정지해 있을 때와 똑같은 물리 법칙을 적용받는다. 또 다른 이론적 기반은 관측자의 위치와 운동에 상관없이 빛의 속도는 언제나 일정하다는 광속도 불변의 법칙이다.

특수 상대성 이론의 기반

1. 관성계의 물리 법칙
2. 광속도 불변의 법칙

서로 모순된 이 두 사실을 결합하기 위해서는 시간에 대한 개념을 새롭게 정립할 필요가 있었다. 1905년 5월 중순, 아인슈타인은 기차역의 시간을 정확하게 조율하는 방법을 담은 특허 신청서들을 검토하다가 시간은 절대적인 방식으로 정의될 수 없다는 아이디어를 떠올렸다. 그리고 시간

알베르트 아인슈타인 아인슈타인은 10대 시절부터 '물체가 빛과 같은 속도로 움직이면 어떤 현상이 일어날까'라는 문제에 골몰했다. 그 뒤로 10년 동안 이 문제를 고민한 끝에 상대성 이론을 발견했다.

과 공간 이론을 변형하기 시작했다. 아인슈타인은 1905년 6월 30일에 〈움직이는 물체의 전기 동역학에 관해서〉라는 논문을 발표했다. 이 논문에는 '특수 상대성 이론'이 담겨 있었다.

특수 상대성 이론의 핵심은 시간과 공간은 절대적이지 않고 운동하는 속도에 따라 상대적으로 관측된다는 것이다. 광속도 불변의 법칙을 바탕으로 작성된 1905년의 논문에서 아인슈타인은 새로운 시공간 개념을 제시했다.

아인슈타인에 따르면, 빛의 속도를 이용해 사건들의 동시성 여부를 결정한다면, 관측자마다 측정한 시간이 다르더라도 각각의 시간을 동등하게 취급할 수 있다. 한마디로 사람들마다 시간이 서로 다르게 흐를 수 있지만 모두의 시간이 모두 맞다는 이야기이다. 아인슈타인은 시간과 공간이 어떤 절대성을 지닌 불변의 것이 아니라, 관찰자에 따라 다르게 정의되는 상대적인 존재라고 생각했던 것이다. 그래서 상대성 이론에서는 '누가 관측하고 있는가?'가 아주 중요해진다.

우주선이 등속으로 날아가고 있다고 가정해 보자. 우주선 중심에는 빛을 내보내는 광원이 있고 우주선의 양 끝에 빛 검출기가 설치되어 있다. 우주선 안에서 이 빛을 보면 빛은 좌우 검출기에 동시에 도착할 것이다. 등속으로 날아가는 우주선 내부는 관성계이므로, 정지해 있을 때와 같은 물리 법칙을 적용받기 때문이다.

그러면 우주선 밖의 행성 표면에 서 있는 사람에게는 어떻게 보일까? 우주선이 오른쪽으로 날아가고 있다면 광원에서 나간 빛이 왼쪽 검출기에 먼저 도달하는 것으로 보일 것이다. 우주선이 이동한 거리만큼 왼쪽의 검출기가 광원 쪽으로 이동했을 것이고, 오른쪽 검출기는 광원에서 멀어졌을 것이기 때문이다. 이처럼 우주선 안에 있는 사람이 보기에 동시에 일어난 사건이 우주선 밖에 있는 사람에게는 동시에 일어나지 않을 수 있다.

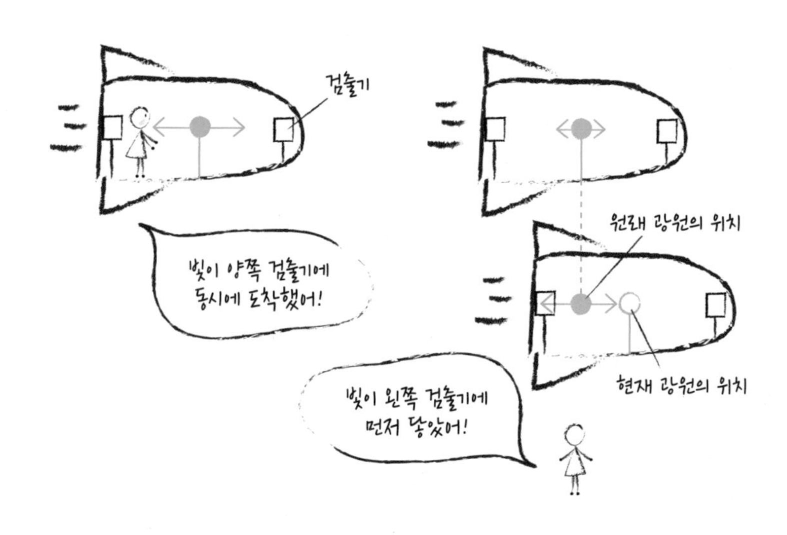

생각을 좀 더 진전시키면 특수 상대성 이론의 핵심인 '시간이 느려진다'는 개념에 도달할 수 있다. 등속 운동을 하는 우주선 안에 빛의 도착 시간을 측정하는 빛 시계가 있는데, 이 빛 시계의 높이가 30만km라고 상상해 보자. 빛은 아래에 있는 광원에서 나와 위쪽 빛 시계로 올라간다.

상대성 원리에 의하면 우주선 내부는 정지해 있는 것과 마찬가지이기 때문에 광원에서 나온 빛은 똑바로 위를 향해 나아간다. 빛의 속도는 약 30만km/s이니 우주선 안에 있는 사람이 관찰했을 때 광원에서 나온 빛은 대략 1초 만에 위쪽에 도달한다.

반면 우주선이 이동하기 때문에 우주선 밖에 있는 사람이 보면 광원에서 나온 빛은 비스듬히 나아가는 것처럼 보인다. 따라서 빛은 똑바로 위로 올라가는 것보다 더 많은 거리를 이동하게 된다. 즉, 빛은 30만km보다 훨씬 더 많은 거리를 이동한 후에야 빛 시계에 도달한다.

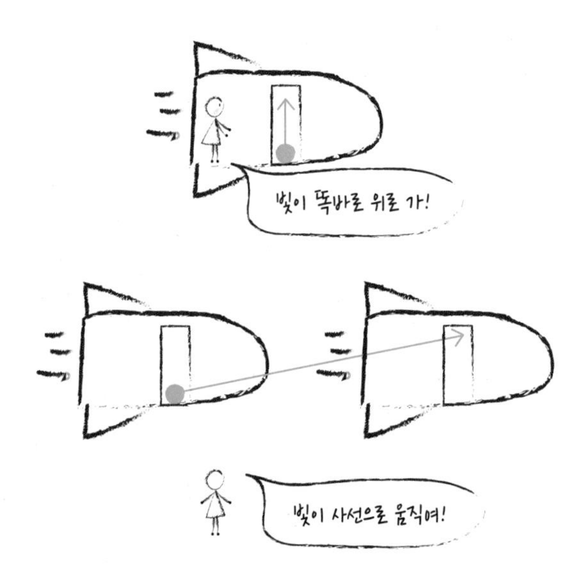

관찰자의 위치와 관계없이 빛의 속도는 언제나 일정하므로 우주선 밖에 있는 사람이 이 우주선을 본다면 우주선 안쪽의 시간은 느려진 것으로 보인다. 우주선의 속도가 빨라지면 빨라질수록 빛이 더 많은 거리를 이동해야 하니 시간은 점점 더 느려질 것이다.

만약 우주선 안에 있는 사람이 우주선 밖에 있는 사람을 관찰하면 어떻게 될까? 상대성 원리에 의하면 우주선 안에 있는 사람이 보기에 자신은 멈춰 있고 우주선 밖에 있는 사람이 움직이고 있다고 느낄 것이다. 따라서 우주선 안에 있는 사람에게는 오히려 우주선 밖의 시간이 느려지는 것으로 보인다. 이처럼 아인슈타인은 상대성 원리를 적용하여 등속으로 움직이는 관성계 안의 시간과 밖의 시간이 상대적임을 보였다.

관성계에서 움직이는 물체의 상대성에 관한 이 이론을 특수 상대성 이론이라고 한다. 특수 상대성 이론에서 설명하는 현상은 시간 지연만이 아니다. 특수 상대성 이론에 의하면 움직이는 물체의 시간은 느려지고, 질량은 늘어나며, 길이는 짧아진다.

특수 상대성 이론

관성계에 적용됨

움직이는 물체의 시간 - 느려짐

17세기 말에 근대역학을 확립했던 뉴턴에게 시간은 언제나 누구에게나 같은 속도로 흐르는 것이었다. 뉴턴은 자신의 저서《프린키피아》에 시간에 대해서 이렇게 적었다.

절대, 진짜, 수학적 시간이란 스스로 있으며, 외부의 어떤 것과도 관계가 없이 자신의 본성에 따라서 늘 똑같이 흐른다.

-아이작 뉴턴, 《프린키피아》(이무현 옮김, 《프린키피아》, 7쪽)

이처럼 고전역학에서 인간이 시간을 바꾼다는 것은 있을 수 없는 일이었다. 이에 반해 아인슈타인은 시간의 절대적인 기준은 존재하지 않는다고 주장하고 있었던 것이다.

시계 조율 문제로 돌아가 보자. 여러 도시에 있는 기차역들의 시간을 어떻게 똑같이 맞출 수 있을까? 아인슈타인의 해결책은 이렇다. A역에 있는 사람이 12시에 B역에 있는 사람에게 빛 신호를 보내면, B역은 12시에 빛이 B역까지 오는 데 걸리는 시간을 더해 시간을 맞춘다. C역은 B역의 시간에 빛이 B역에서 C역까지 오는 데 걸리는 시간을 더한다. 그렇게 되면 모든 시계가 동기화될 것이다. 이는 중앙 역에서 통보하는 시간에 맞추던 기존의 방식과는 완전히 달랐다.

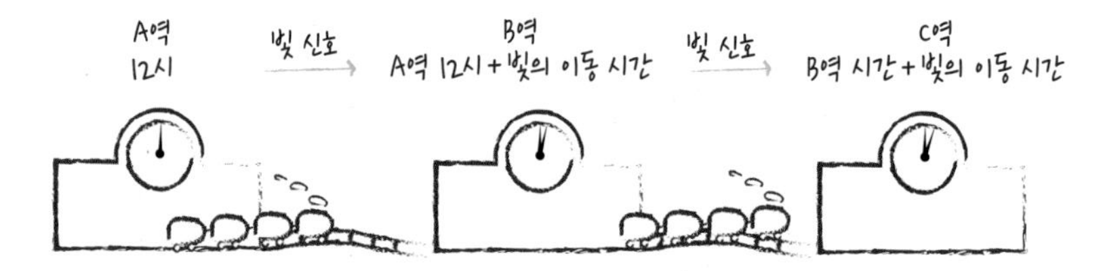

이러한 방식으로 시간을 맞추면 중심이라는 개념 자체가 의미가 없어진다. 아인슈타인의 특수 상대성 이론은 시간 문제에서 중심과 기준을 없앴고, 인간의 움직임이 시간을 바꿀 수도 있다고 주장함으로써 시간 개념

을 완전히 바꾸어 놓았다. 그는 시간이 절대적인 것이 아니라는 사실을 성공적으로 보였다. 아인슈타인에게 절대적인 것은 빛의 속도가 변하지 않는다는 사실밖에 없었다.

1905년에 상대성 이론을 발표했을 당시, 아인슈타인은 무명의 과학자였다. 그런 아인슈타인의 상대성 이론이 널리 퍼지도록 만드는 데는 당시 독일 베를린 대학교의 이론 물리학 교수이자 독일 물리학회 회장이었던 플랑크의 공이 컸다. 플랑크는 아인슈타인이 상대성 이론을 발표했던 《물리학 연보》의 편집인이기도 했다. 플랑크 상수를 발견함으로써 양자역학의 기초를 다지는 업적을 세운 플랑크는 아인슈타인의 상대성 이론을 공개적으로 지지했다. 또한 제자들에게 상대성 이론에 대한 논문을 쓰도록 독려하고, 그 자신도 상대성 이론을 연구함으로써 상대성 이론의 발전에 많이 기여했다.

특수 상대성 이론을 뒷받침하는 실제적인 증거가 있을까? 미국의 물리학자 칼 데이비드 앤더슨(Carl David Anderson, 1905~1991)은 1936년에 우주선(宇宙線, cosmic ray)을 연구하던 중 뮤온이라는 입자를 발견했다. 우주선은 우주에서 지구로 쏟아지는 전자기파인데, 대기권에 진입하면서 공기 분자들과 충돌하여 뮤온이라는 입자를 만들어 낸다. 뮤온이 튀어 나가는 속도는 빛의 속도에 가깝고 뮤온의 수명은 100만분의 2초에 불과하다. 따라서 이론상으로 뮤온은 대기권 안에서 0.6km 정도 날아가면 붕괴하므로, 지상까지 도달할 수 없다. 하지만 실제로 뮤온은 대기권을 통과해 지표면까지 내려온다.

뮤온이 지상에 도달하려면 수명이 100배는 더 늘어야 하는데 이런 일이 어떻게 가능할까? 답은 상대성 이론에 의한 시간 지연에 있다. 특수 상대성 이론에 따르면 빠르게 이동하는 물체에서는 시간이 느려진다. 뮤온이 빛의 속도에 가까울 정도로 빠르게 움직이면 뮤온의 시간은 느리게 간다. 시간이 느려지는 만큼 수명이 늘어나니 지상에 도달할 때까지 붕괴하지 않을 수가 있다. 물리학자들은 뮤온을 통해 아인슈타인의 특수 상대성 이론이 옳다는 것을 확인할 수 있었다.

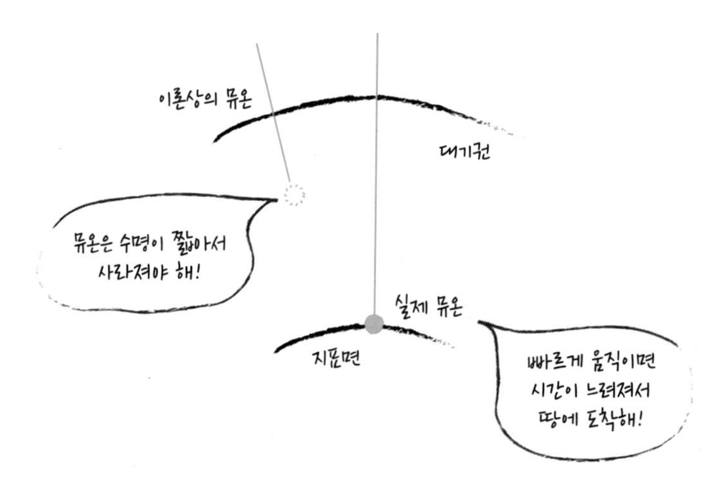

공간이 휘어서 중력이 생긴다고?

특수 상대성 이론은 등속 운동 하는 경우만을 설명할 수 있었다. 그래서 아인슈타인은 특수 상대성 이론을 발표한 이후로, 가속하는 물체의 운동까지 포함하는 이론을 찾기 위해 노력했다. 그렇게 만들어진 이론이 바로 '일반 상대성 이론'이다. 일반 상대성 이론은 오랜 노력 끝에 얻어진 아인슈타인의 최대 업적이기도 하다. 일반 상대성 이론은 중력의 본질을 완전히 새로운 방식으로 설명했다.

1907년에 아인슈타인은 등가 원리를 처음으로 인식했다. 중력의 영향으로 시간이 천천히 가고 빛의 경로가 휠 수 있다는 생각을 떠올린 것도 이즈음이다. 한동안 광양자 연구에 몰두했던 아인슈타인은 1911년부터 다시 중력에 관해 고찰하기 시작했지만, 새로운 중력 방정식을 얻어 내기까지는 오랜 시간 고전해야 했다. 그리고 1915년에 비로소 완전한 중력 방정식을 세웠다. 아인슈타인은 이 중력 방정식으로 시간과 공간이 얼마만큼 휘어지는지를 계산할 수 있게 되었다. 1916년 3월 20일, 아인슈타인은 《물리학 연보》에 일반 상대성 이론을 발표했다.

일반 상대성 이론은 특수 상대성 이론과는 달리 가속 운동이 일어날 때의 중력 변화를 다룬다. 엘리베이터가 위로 속도를 높이며 올라가면 몸이 무거워지며 아래로 당겨지는 것처럼 느껴진다. 올라갈 때는 중력이 아래쪽으로 작용하기 때문이다. 반대로 엘리베이터가 아래로 가속하면서 내려가면 몸이 가벼워지는 것처럼 느껴진다. 위쪽으로 관성력이 나타나기 때문이다. 이처럼 관성은 가속하는 방향과 반대 방향으로 작용한다.

어떤 우주인이 창문이 없는 우주선을 타고 있는데 갑자기 몸이 아래쪽으로 쏠리는 느낌을 받았다고 가정해 보자. 우주인은 이 상황에서 2가지 경우를 생각할 것이다. 하나는 우주선의 속도가 위쪽으로 빨라지고 있다는 가정이다. 관성 때문에 몸이 아래로 쏠리는 느낌을 받을 테니까. 또는 우주선이 중력이 강한 천체 주변을 지나가고 있어서 그 중력 때문에 자신이 아래쪽으로 끌어당겨지고 있다고도 생각할 수 있다. 우주인은 자신의 몸이 아래로 쏠리는 것이 가속 때문인지 중력 때문인지 알 수 없다.

여기까지 생각한 아인슈타인은 관성에 의한 효과와 중력에 의한 효과가 같다는 결론에 도달했다. 이를 등가 원리라고 하는데, 일반 상대성 이론의 토대가 되었다.

어떤 상자가 우주에서 지구로 떨어지고 있다. 이 상자 안에서는 위쪽으로 관성력이 작용하고 아래쪽으로는 중력이 작용할 것이다. 위로 당기는 관성력과 아래로 당기는 중력이 상쇄되어 상자 속에서 작용하는 힘의 크기는 0이 된다. 즉 무중력 상태가 된다.

무중력 상태의 상자 안에 공 2개가 떠 있다. 상자가 지구를 향해 떨어지면 공도 상자와 함께 낙하한다. 그런데 상자 속의 공은 평행하게 떨어지지 않고 아래로 내려갈수록 조금씩 서로 가까워진다.

상자 속에서는 어떤 힘도 작용하지 않고 있는데 어떻게 공이 서로 가까워질까? 아인슈타인은 이 질문에 지구의 질량으로 공간이 휘었기 때문이라고 답했다. 공이 휘어진 공간을 따라 낙하하기 때문에 공의 경로도 휘어진다는 것이다.

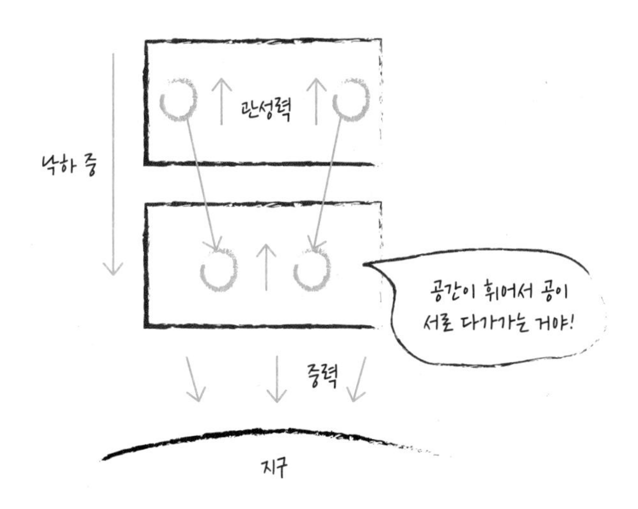

낙하하는 상자에서 빛이 나오고 있다고 생각해 보자. 떨어지는 상자 속에 있는 과학자에게는 상자 속에서 방출되는 빛이 직진하는 것으로 보인다. 상자 안은 힘이 작용하지 않는 상태이기 때문이다.

상자 밖에 있는 사람이 상자 안의 빛을 보면 휘어져 보인다. 빛 입장에서는 똑바로 나아간 것이지만, 지구의 질량으로 공간이 일그러졌기 때문에 빛도 휘어져서 나가는 것으로 보이는 것이다.

뉴턴의 중력과 아인슈타인의 중력에는 바로 이런 차이가 있다. 뉴턴의 중력은 떨어져 있는 두 물체가 서로 잡아당기는 힘이다. 하지만 아인슈타인에게 중력이란 공간의 휘어짐이 일으키는 현상이었다. 질량이 공간을 휘게 만들며, 공간의 휘어짐이 곧 중력이라고 생각한 것이었다. 아인슈타인에 따르면 중력 때문에 발생하는 물체의 낙하 운동은 물체가 휘어진 공간을 따라 나아가는 사건이다.

공간의 휘어짐 일반 상대성 이론에 따르면 질량이 공간을 휜다.

중력 ┬ 뉴턴 : 두 물체가 잡아당기는 힘
└ 아인슈타인 : 물체의 질량으로 공간이 휘어짐

일반 상대성 이론에 의하면 질량이 클수록 공간은 더 많이 휘어진다. 즉 중력이 더 커진다. 블랙홀을 생각해 보자. 블랙홀은 빛을 빨아들일 정도로 중력이 강하다. 따라서 블랙홀 주변 공간은 더 많이 휘어진다. 블랙홀 주변을 지날 때는 더 많이 휘어진 공간을 거쳐야 하므로 시간은 더 천천히 흐를 것이다. 즉, 물체의 중력이 강해 공간이 많이 휠수록 시간은 느리게 흐르고, 반대로 중력이 약할수록 시간은 빨리 흐른다. 상대성 이론에 의하면 시간과 공간은 서로 분리되지 않고 함께 늘거나 줄어든다.

태양 주변에서 빛이 휘는 현상은 1919년 개기 일식 때 영국 과학자들이 관측했다. 일반 상대성 이론을 영국에 처음으로 소개한 사람은 영국의 천문학자 아서 스탠리 에딩턴(Arthur Stanley Eddington, 1882~1944)이었다.

1919년 개기 일식 아인슈타인의 일반 상대성 이론을 입증하는 사진으로, 태양 주변의 별빛의 경로가 휜다는 것을 관측할 수 있었다.

에딩턴과 가까웠던 프랭크 왓슨 다이슨(Frank Watson Dyson, 1868~1939)은 에딩턴에게 일식 때 관측 팀을 파견하여 아인슈타인의 이론을 확인하자고 제안했다. 1919년 5월 29일 에딩턴과 다이슨의 관측 팀은 태양 주위에서 별빛이 휜다는 것을 증명하는 사진을 찍었다. 엄밀하게 말하면 빛이 실제로 휘지는 않았다. 빛은 직진했지만, 공간 자체가 휘었기 때문에 마치 빛이 휜 것처럼 보였을 뿐이다.

이 사진이 증거로서 효력이 있는지를 두고 논란이 있기는 했지만 결국 1919년 11월 6일 영국 왕립 학회와 왕립 천문 학회는 아인슈타인의 이론이 증명되었다고 발표했다. 이후 아인슈타인은 과학계에서뿐만 아니라 일반 대중에게도 유명 인사가 되었다.

일반 상대성 이론

중력이 클수록 공간은 많이 휨 → 시간이 느려짐

미국 시민권을 받는 아인슈타인 아인슈타인은 1933년에 나치의 유대인 탄압을 피해 미국으로 망명했다.

중력파 관찰로 상대성 이론을 증명하다

아인슈타인은 아버지가 유대인이었기 때문에 나치가 집권하자 독일을 떠나 미국으로 망명했다. 그는 미국에서 오랫동안 강의와 연구를 계속하다가 1955년에 세상을 떠났다.

일반 상대성 이론의 증거를 찾으려는 과학자들의 노력은 아인슈타인이 떠난 이후에도 계속되었다. 물리학자들은 중력파가 결정적인 증거가 될 수 있으리라고 예상했다. 블랙홀이나 거대한 별이 충돌하면 우주 공간에 급격한 중력 변화가 생기는데, 이때 생기는 시간과 공간의 휘어짐이 파동 형식으로 퍼져 나가는 것을 중력파라고 한다.

과학자들은 이 중력파를 관측하기 위해 여러 장치들을 개발했다. 마침내 2016년 2월 미국에 있는 레이저 간섭계 중력파 관측소(LIGO)에서 중력파를 관측하는 데 성공했다. 상대성 이론이 등장한 지 100년 만에 중력파를 직접 검출하는 데 성공함으로써 일반 상대성 이론에 대한 검증은 끝났다.

레이저 간섭계 중력파 관측소
중력파를 검출하기 위한 시설이다. 워싱턴주의 핸포드와 루이지애나주의 리빙스턴에 있는 관측소에서 동시에 관측을 실행한다.

지금까지 살펴본 것처럼 과학적 지식은 그 자체로 역사성을 가지고 있다. 고대 그리스로부터 시작해 중세, 근대를 거치면서 자연철학자들 혹은 과학자들은 당대의 학문적 질문들에 답하고자 노력했고, 그 과정에서 과학적 지식은 계속 변화해 왔다. 때로는 관찰이 선행되고 나서 이론이 나오고, 때로는 이론이 먼저 등장하고 이후에 뒷받침하는 증거가 제시되면서 말이다.

과학의 이러한 역사성은 우리가 알고 있는 과학적 지식이 앞으로도 계속해서 변화할 수 있음을 의미한다. 현재의 과학적 지식들은 현재까지의 과학 활동이 낳은 결과물이다. 따라서 지금 존재하는 지식으로 설명할 수 없는 현상들이 관찰되면 과학적 지식은 또 변화할 것이다.

과학자들은 지금도 우주의 탄생부터 가장 작은 소립자들의 운동까지, 자연의 비밀을 밝혀내기 위해 연구를 계속하고 있다. 세계를 탐구해 나가는 과학자들의 여정은 앞으로도 계속될 것이다.

또 다른 이야기 | GPS, 상대성 이론의 도움을 받다

우리가 사용하는 스마트폰에는 위치를 나타내는 기능이 있다. 위치를 정확하게 알기 위해서는 위성 항법 시스템인 GPS(Global Positioning System) 위성의 도움을 받아야 한다. 스마트폰의 GPS 수신기는 3개 이상의 GPS용 인공위성에서 보낸 신호를 받아 자신의 위치를 알아낸다. 이때 인공위성과 GPS 수신기 사이의 거리를 알기 위해서는 인공위성의 시간과 수신기의 시간이 맞아 떨어져야 한다. 그래야 전파의 속도를 이용해 거리를 정확하게 알 수 있다.

하지만 고도 2만km에서 운동하는 인공위성과 지상에 있는 GPS 수신기의 시간은 다르게 흐른다. 특수 상대성 이론에 의하면 물체가 빠르게 움직일수록 시간은 느리게 흐른다. 인공위성은 지구 주위를 약 8km/s의 속도로 돌기 때문에 시간이 조금씩 지연된다. 문제는 이 인공위성에는 중력도 작용하고 있다는 것이다. 일반 상대성 이론에 의하면 중력이 강하면 시간이 지연되고, 중력이 약해지면 시간은 더 빠르게 흐른다. 높은 고도에 있는 인공위성은 지표면보다 중력을 약하게 받아 시간이 빨라진다.

인공위성에는 빠른 속도로 시간이 지연되는 현상과 약한 중력으로 시간이 빨라지는 현상이 동시에 일어난다. 둘 중에서 중력으로 시간이 빨리 가는 현상이 더 강력하게 작용해 인공위성의 시간은 하루에 0.000038초씩 지상보다 시간이 앞선다. 0.000038초에 신호가 오가는 속도인 광속을 곱하면 11.4km인데, 바로 이만큼씩 오차가 생기는 것이다. 그러므로 인공위성에서 보내는 위치 신호를 정확하게 파악하기 위해서는 거리를 끊임없이 보정해야 한다.

이처럼 우리가 일상적으로 사용하는 기술에도 상대성 이론이 적용되고 있다.

정리해 보자 | 상대성 이론의 등장

20세기 초에 등장한 상대성 이론은 시간에 대해 이전과는 다른 이해 방식을 제시했다. 아인슈타인에 따르면 물체가 움직이는 속도에 따라 시간이 달라진다. 이는 인간이 시간에 개입할 수 있다는 의미이다.

아인슈타인은 1905년에 특수 상대성 이론에 관한 논문을 발표했다. 이 논문에는 어떤 물체가 등속으로 아주 빠르게 움직이면 시간이 느려질 수 있다는 주장이 담겼다. 이후 뮤온 입자가 지상에서 검출되어 특수 상대성 이론은 관측 증거를 가지게 되었다.

특수 상대성 이론을 보완하기 위해 가속하는 물체의 운동을 연구하던 아인슈타인은 질량을 가진 물체는 주변의 공간을 휜다는 생각에 도달했다. 중력이란 공간의 휘어짐 때문에 나타나는 현상이라는 것이었다. 블랙홀과 같이 질량이 강한 곳에서는 공간이 많이 휘어 시간이 더 오래 지연된다. 1919년에 과학자들이 일식 때 태양 주변에서 별빛이 휘는 현상을 관찰하고, 2016년에 중력파를 발견함으로써 아인슈타인의 상대성 이론에 대한 검증이 이루어졌다.

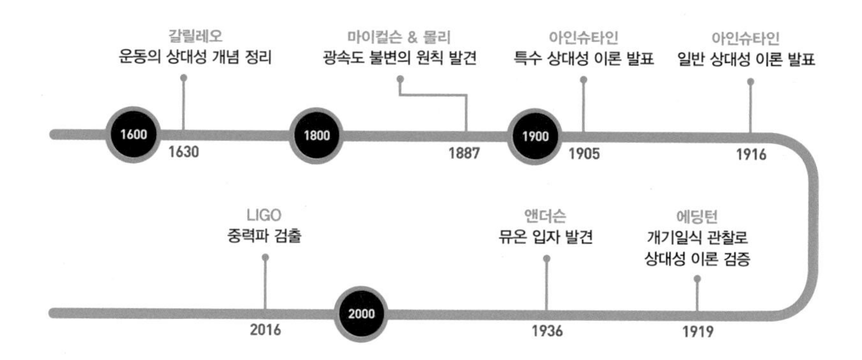

도서 및 논문

거름 편집부, 《철학사 비판》, 거름, 1983.

김영식·임경순, 《과학사신론》 제2판, 다산출판사, 2007.

김태호, 《아리스토텔레스 & 이븐 루시드: 자연철학의 조각그림 맞추기》, 김영사, 2007.

손영운, 《청소년을 위한 서양과학사》, 두리미디어, 2004.

임경순, 《현대물리학의 선구자》, 다산출판사, 2001.

장하석, 《장하석의 과학, 철학을 만나다》, 지식플러스, 2014.

홍성욱 외 6인, 《뉴턴과 아인슈타인: 우리가 몰랐던 천재들의 창조성》, 창비, 2004.

홍성욱 편역, 《과학고전선집: 코페르니쿠스에서 뉴턴까지》, 서울대학교 출판부, 2006.

낸시 포브스·배질 마혼, 박찬·박술 옮김, 《패러데이와 맥스웰: 전자기 시대를 연, 물리학의 두 거장》, 반니, 2015.

다케우치 가오루, 김재호·이문숙 옮김, 《한 권으로 충분한 양자론》, 전나무숲, 2010.

데이비드 C. 린드버그, 이종흡 옮김, 《서양과학의 기원들》, 나남, 2009.

로버트 템플, 조지프 니덤 엮음, 과학세대 옮김, 《그림으로 보는 중국의 과학과 문명》, 까치, 2009.

리처드 웨스트폴, 최상돈 옮김, 《프린키피아의 천재》, 사이언스북스, 2001.

스티븐 샤핀, 한영덕 옮김, 《과학혁명》, 영림카디널, 2002.

아이작 뉴턴, 이무현 옮김, 《프린키피아》, 교우사, 1998.

야마모토 요시타카, 이영기 옮김, 《과학의 탄생: 자력과 중력의 발견, 그 위대한 힘의 역사》, 동아시아, 2005.

에드워드 그랜트, 홍성욱·김영식 옮김, 《중세의 과학》, 지만지, 1992.

월레스 홀 캠벨, 이재일, 차동우 옮김, 《지구자성: 자기장 속으로의 여행》, 북스힐, 2010.

일본 뉴턴프레스, 《Newton Highlight: 현대 물리학 3대 이론》, 아이뉴턴, 2013.

제임스 맥라클란, 이무현 옮김, 《물리학의 탄생과 갈릴레오》, 바다출판사, 2002.

찰스 길리스피, 이필렬 옮김, 《객관성의 칼날: 과학 사상의 역사에 관한 에세이》, 새물결, 1999.

케네스 W. 포드, 이덕환 옮김, 《양자: 101가지 질문과 답변》, 까치, 2015.

탈레스 외, 김인곤 외 7인 옮김, 《소크라테스 이전 철학자들의 단편 선집》, 아카넷, 2005.

토머스 핸킨스, 양유성 옮김, 《과학과 계몽주의: 빛의 18세기, 과학혁명의 완성》, 글항아리, 2011.

피터 J. 보울러·이완 리스 모러스, 김봉국·홍성욱·서민우 옮김, 《현대과학의 풍경》, 궁리, 2008.
피터 갤리슨, 정동욱 옮김, "아인슈타인의 시계들", 박민아·김영식 편, 《프리즘: 역사로 과학 읽기》, 서울대학교출판부, 2007.
피터 디어, 정원 옮김, 《과학혁명: 유럽의 지식과 야망, 1500~1700》, 뿌리와이파리, 2011.
마이클 패러데이, 박택규 옮김, 《양초 한 자루에 담긴 화학 이야기》, 서해문집, 1998.
에릭 뉴트, 이민용 옮김, 《쉽고 재미있는 과학의 역사》, 이끌리오, 1998.
조지 E. R. 로이드, 이광래 옮김, 《그리스 과학 사상사》, 지성의샘, 1996.
Albert Einstein, "Zur Elektrodynamik bewegter Körper(On the Electrodynamics of Moving Bodies)", 1905.
Christiaan Huygens, "Traté de la lumière(Treatise on Light)", 1690.
Isaac Newton, Opticks, 1704.
James Prescott Joule, "On the Calorific Effects of Magneto-Electricity, and on the Mechanical Value of Heat," The Scientific Papers of James Prescott Joule, vol.1, Cambridge University Press, 1884.

웹페이지

임경순, 〈엔트로피 개념에 대한 이해〉, 과학사개론, http://science.postech.ac.kr/hs/C18/C18S005.html
정겨울, 〈스마트폰 속의 상대성 이론〉, 과학동아, http://dl.dongascience.com/magazine/view/S201211N067, 2012.11.
서울대학교 과학사과학철학 협동과정, http://phps.snu.ac.kr/ver3/history_of_science
B. Hensen et al., "Loophole-free Bell inequality violation using electron spins separated by 1.3 kilometres", Nature, http://dx.doi.org/10.1038/nature15759, 2015.10.21.
"Astronomy Picture of the Day", http://apod.nasa.gov
Nobleprize, http://www.nobelprize.org
http://www.relativitycalculator.com
http://physlab.snu.ac.kr/newphyslab/lab/portrait.htm

동영상

PBS Nova, 〈Newton's Dark Secrets〉, 2005년 11월 15일 PBS 방영
PBS Nova, 〈Quantum Leap-The Fabric of the Cosmos〉, 2011년 11월 2일 PBS 방영

사진 출처

갈릴레오의 아르체트리 집 ©Cyberuly

뉴턴 생가의 사과나무 ©Plucas58

《프린키피아》 초판본 ©Andrew Dunn

뉴턴 묘지 ©Herry Lawford

웨스트민스터 사원 © Spártakos

지남거 ©THE SCIENCE MUSEUM GROUP

볼타 전지 ©Luigi Chiesa

패러데이 ©Wellcome Library, London

갈릴레오 온도계 ©Sam Bald

정맥혈과 동맥혈 ©Wesalius

《화학원론》 ©Zolaist

증기 기관 ©Nicolás Pérez

하이젠베르크 ©Bundesarchiv

양자 컴퓨터 ©D-Wave Systems, Inc.